O Espelho
E OUTROS CONTOS

ND DE ASSIS
O Espelho
E OUTROS CONTOS

Principis

Esta é uma publicação Principis, selo exclusivo da Ciranda Cultural
© 2019 Ciranda Cultural Editora e Distribuidora Ltda.

Texto	Produção editorial e projeto gráfico
Machado de Assis	Ciranda Cultural

Revisão
Project Nine Editorial

Imagens
ArtMari/Shutterstock.com;
Lukasz Szwaj/Shutterstock.com;
Prakarn Pudtan/Shutterstock.com;
Yoko Design/Shutterstock.com;

Diagramação
Project Nine Editorial

Complemento de leitura elaborado por Fernando Caetano
Bacharel e Licenciado em Letras Pela FFLCH/USP, é docente de Língua Portuguesa, Linguística e Literatura, tendo lecionado em colégios, empresas e preparatórios para o vestibular.

Dados Internacionais de Catalogação na Publicação (CIP) de acordo com ISBD

A848e   Assis, Machado de, 1839-1908

O espelho e outros contos / Machado de Assis. - Jandira, SP : Principis, 2019.
176 p. ; 16cm x 23cm. – (Clássicos da Literatura)

Inclui índice.
ISBN: 978-85-943-1879-4

1. Literatura brasileira. 2. Contos. I. Título. II. Série.

2019-1447

CDD 869.8992301
CDU 821.134.3(81)-34

Elaborado por Odilio Hilario Moreira Junior - CRB-8/9949

Índice para catálogo sistemático:
1. Literatura brasileira: contos 869.8992301
2. Literatura brasileira: contos 821.134.3(81)-34

1ª Edição em 2019
www.cirandacultural.com.br

Todos os direitos reservados. Nenhuma parte desta publicação pode ser reproduzida, arquivada em sistema de busca ou transmitida por qualquer meio, seja ele eletrônico, fotocópia, gravação ou outros, sem prévia autorização do detentor dos direitos, e não pode circular encadernada ou encapada de maneira distinta daquela em que foi publicada, ou sem que as mesmas condições sejam impostas aos compradores subsequentes.

SUMÁRIO

A CARTEIRA 7
A CAUSA SECRETA 11
A CHAVE 19
A IGREJA DO DIABO 36
A MULHER DE PRETO 43
A PIANISTA 68
A SEGUNDA VIDA 91
A VIDA ETERNA 98
ADÃO E EVA 111
MISSA DO GALO 116
O CASO DA VARA 122
O ENFERMEIRO 128
O ESPELHO 135
PAI CONTRA MÃE 143
UNS BRAÇOS 152

COMPLEMENTO DE LEITURA 159
SOBRE O AUTOR 160
TEXTO E CONTEXTO 162
TOME NOTA 163
QUESTÕES COMENTADAS 164
CRONOLOGIA 175

A CARTEIRA

...DE REPENTE, Honório olhou para o chão e viu uma carteira. Abaixar-se, apanhá-la e guardá-la foi obra de alguns instantes. Ninguém o viu, salvo um homem que estava à porta de uma loja, e que, sem o conhecer, lhe disse rindo:

— Olhe, se não dá por ela; perdia-a de uma vez.
— É verdade — concordou Honório envergonhado.

Para avaliar a oportunidade desta carteira, é preciso saber que Honório tem de pagar amanhã uma dívida, quatrocentos e tantos mil-réis, e a carteira trazia o bojo recheado. A dívida não parece grande para um homem da posição de Honório, que advoga; mas todas as quantias são grandes ou pequenas, segundo as circunstâncias, e as dele não podiam ser piores. Gastos de família excessivos, a princípio por servir a parentes, e depois por agradar à mulher, que vivia aborrecida da solidão; baile daqui, jantar dali, chapéus, leques, tanta coisa mais, que não havia remédio senão ir descontando o futuro. Endividou-se. Começou pelas contas de lojas e armazéns; passou aos empréstimos, duzentos a um, trezentos a outro, quinhentos a outro, e tudo a crescer, e os bailes a darem-se, e os jantares a comerem-se, um turbilhão perpétuo, uma voragem.

— Tu agora vais bem, não? — dizia-lhe ultimamente o Gustavo C..., advogado e familiar da casa.
— Agora vou — mentiu o Honório.

A verdade é que ia mal. Poucas causas, de pequena monta, e constituintes remissos; por desgraça perdera ultimamente um processo, em que fundara grandes esperanças. Não só recebeu pouco, mas até parece que ele lhe tirou alguma coisa à reputação jurídica; em todo caso, andavam mofinas nos jornais.

Dona Amélia não sabia nada; ele não contava nada à mulher, bons ou maus negócios. Não contava nada a ninguém. Fingia-se tão alegre como se nadasse em um mar de prosperidades. Quando o Gustavo, que ia todas as noites à casa dele, dizia uma ou duas pilhérias, ele respondia com três e quatro; e depois ia ouvir os trechos de música alemã, que dona Amélia tocava muito bem ao piano, e que o Gustavo escutava com indizível prazer, ou jogavam cartas, ou simplesmente falavam de política.

Um dia, a mulher foi achá-lo dando muitos beijos à filha, criança de quatro anos, e viu-lhe os olhos molhados; ficou espantada, e perguntou-lhe o que era.

– Nada, nada.

Compreende-se que era o medo do futuro e o horror da miséria. Mas as esperanças voltavam com facilidade. A ideia de que os dias melhores tinham de vir dava-lhe conforto para a luta. Estava com, trinta e quatro anos; era o princípio da carreira: todos os princípios são difíceis. E toca a trabalhar, a esperar, a gastar, pedir fiado ou: emprestado, para pagar mal, e a más horas.

A dívida urgente de hoje são uns malditos quatrocentos e tantos mil-réis de carros. Nunca demorou tanto a conta, nem ela cresceu tanto, como agora; e, a rigor, o credor não lhe punha a faca aos peitos; mas disse-lhe hoje uma palavra azeda, com um gesto mau, e Honório quer pagar-lhe hoje mesmo. Eram cinco horas da tarde. Tinha-se lembrado de ir a um agiota, mas voltou sem ousar pedir nada. Ao enfiar pela Rua da Assembleia é que viu a carteira no chão, apanhou-a, meteu no bolso, e foi andando.

Durante os primeiros minutos, Honório não pensou nada; foi andando, andando, andando, até o Largo da Carioca. No Largo parou alguns instantes, enfiou depois pela Rua da Carioca, mas voltou logo, e entrou na Rua Uruguaiana. Sem saber como, achou-se daí a pouco no Largo de São Francisco de Paula; e ainda, sem saber como, entrou em um Café. Pediu alguma coisa e encostou-se à parede, olhando para fora. Tinha medo de abrir a carteira; podia não achar nada, apenas papéis e sem valor para ele. Ao mesmo tempo, e esta era a causa principal das reflexões, a consciência perguntava-lhe se podia utilizar-se do dinheiro que achasse. Não lhe perguntava com o ar de quem não sabe, mas antes com uma expressão irônica e de censura. Podia lançar mão do dinheiro, e ir pagar com ele a dívida? Eis o ponto. A consciência acabou por lhe dizer que não podia, que devia levar a carteira à polícia, ou anunciá-la; mas tão depressa acabava de lhe dizer isto, vinham os apuros da ocasião, e puxavam por ele, e convidavam-no a ir pagar a cocheira. Chegavam mesmo a dizer-lhe que, se fosse ele que a tivesse perdido, ninguém iria entregar-lha; insinuação que lhe deu ânimo.

Tudo isso antes de abrir a carteira. Tirou-a do bolso, finalmente, mas com medo, quase às escondidas; abriu-a, e ficou trêmulo. Tinha dinheiro, muito dinheiro; não contou, mas viu duas notas de duzentos mil-réis, algumas de cinquenta e vinte; calculou uns setecentos mil-réis ou mais; quando menos, seiscentos. Era a dívida paga; eram menos algumas despesas urgentes. Honório teve tentações de fechar os olhos, correr à cocheira, pagar, e, depois de paga a dívida, adeus; reconciliar-se-ia consigo. Fechou a carteira, e com medo de a perder, tornou a guardá-la.

Mas daí a pouco tirou-a outra vez, e abriu-a, com vontade de contar o dinheiro. Contar para quê? Era dele? Afinal venceu-se e contou: eram setecentos e trinta mil-réis. Honório teve um calafrio. Ninguém viu, ninguém soube; podia ser um lance da fortuna, a sua boa sorte, um anjo... Honório teve pena de não crer nos anjos... Mas por que não havia de crer neles? E voltava ao dinheiro, olhava, passava-o pelas mãos; depois, resolvia o contrário, não usar do achado, restituí-lo. Restituí-lo a quem? Tratou de ver se havia na carteira algum sinal.

"Se houver um nome, uma indicação qualquer, não posso utilizar-me do dinheiro", pensou ele.

Esquadrinhou os bolsos da carteira. Achou cartas, que não abriu, bilhetinhos dobrados, que não leu, e por fim um cartão de visita; leu o nome; era do Gustavo. Mas então, a carteira?... Examinou-a por fora, e pareceu-lhe efetivamente do amigo. Voltou ao interior; achou mais dois cartões, mais três, mais cinco. Não havia duvidar; era dele.

A descoberta entristeceu-o. Não podia ficar com o dinheiro, sem praticar um ato ilícito, e, naquele caso, doloroso ao seu coração porque era em dano de um amigo. Todo o castelo levantado esboroou-se como se fosse de cartas. Bebeu a última gota de café, sem reparar que estava frio. Saiu, e só então reparou que era quase noite. Caminhou para casa. Parece que a necessidade ainda lhe deu uns dois empurrões, mas ele resistiu.

"Paciência", disse ele consigo; "verei amanhã o que posso fazer."

Chegando a casa, já ali achou o Gustavo, um pouco preocupado e a própria dona Amélia o parecia também. Entrou rindo, e perguntou ao amigo se lhe faltava alguma coisa.

— Nada.

— Nada?

— Por quê?

— Mete a mão no bolso; não te falta nada?

— Falta-me a carteira — disse o Gustavo sem meter a mão no bolso. — Sabes se alguém a achou?

— Achei-a eu — disse Honório entregando-lha.

Gustavo pegou dela precipitadamente, e olhou desconfiado para o amigo. Esse olhar foi para Honório como um golpe de estilete; depois de tanta luta com a necessidade, era um triste prêmio. Sorriu amargamente; e, como o outro lhe perguntasse onde a achara, deu-lhe as explicações precisas.

— Mas conheceste-a?

— Não; achei os teus bilhetes de visita.

Honório deu duas voltas, e foi mudar de toilette para o jantar. Então Gustavo sacou novamente a carteira, abriu-a, foi a um dos bolsos, tirou um dos bilhetinhos, que o outro não quis abrir nem ler, e estendeu-o a dona Amélia, que, ansiosa e trêmula, rasgou-o em trinta mil pedaços: era um bilhetinho de amor.

A CAUSA SECRETA

GARCIA, EM PÉ, mirava e estalava as unhas; Fortunato, na cadeira de balanço, olhava para o teto; Maria Luísa, perto da janela, concluía um trabalho de agulha. Havia já cinco minutos que nenhum deles dizia nada. Tinham falado do dia, que estivera excelente, de Catumbi, onde morava o casal Fortunato, e de uma casa de saúde, que adiante se explicará. Como os três personagens aqui presentes estão agora mortos e enterrados, tempo é de contar a história sem rebuço.

Tinham falado também de outra coisa, além daquelas três, coisa tão feia e grave, que não lhes deixou muito gosto para tratar do dia, do bairro e da casa de saúde. Toda a conversação a este respeito foi constrangida. Agora mesmo, os dedos de Maria Luísa parecem ainda trêmulos, ao passo que há no rosto de Garcia uma expressão de severidade, que lhe não é habitual. Em verdade, o que se passou foi de tal natureza, que para fazê-lo entender é preciso remontar à origem da situação.

Garcia tinha-se formado em medicina, no ano anterior, 1861. No de 1860, estando ainda na Escola, encontrou-se com Fortunato, pela primeira vez, à porta da Santa Casa; entrava, quando o outro saía. Fez-lhe impressão a figura; mas, ainda assim, tê-la-ia esquecido, se não fosse o segundo encontro, poucos dias depois. Morava na rua de Dom Manoel. Uma de suas raras distrações era ir ao teatro de São Januário, que ficava perto, entre essa rua e a praia; ia uma ou duas vezes por mês, e nunca achava acima de quarenta pessoas. Só os mais intrépidos ousavam estender os passos até aquele recanto da cidade. Uma noite, estando nas cadeiras, apareceu ali Fortunato, e sentou-se ao pé dele.

A peça era um dramalhão, cosido a facadas, ouriçado de imprecações e remorsos; mas Fortunato ouvia-a com singular interesse. Nos lances dolorosos, a atenção dele redobrava, os olhos iam avidamente de um personagem a outro, a tal ponto que o estudante suspeitou haver na peça reminiscências pessoais do vizinho. No fim do drama, veio uma farsa; mas Fortunato não esperou por ela e saiu; Garcia saiu atrás dele. Fortunato foi pelo beco do Cotovelo, rua de

São José, até o Largo da Carioca. Ia devagar, cabisbaixo, parando às vezes, para dar uma bengalada em algum cão que dormia; o cão ficava ganindo e ele ia andando. No Largo da Carioca entrou num tílburi, e seguiu para os lados da Praça da Constituição. Garcia voltou para casa sem saber mais nada.

Decorreram algumas semanas. Uma noite, eram nove horas, estava em casa, quando ouviu rumor de vozes na escada; desceu logo do sótão, onde morava, ao primeiro andar, onde vivia um empregado do arsenal de guerra. Era este que alguns homens conduziam, escada acima, ensanguentado. O preto que o servia acudiu a abrir a porta; o homem gemia, as vozes eram confusas, a luz pouca. Deposto o ferido na cama, Garcia disse que era preciso chamar um médico.

— Já aí vem um — acudiu alguém.

Garcia olhou: era o próprio homem da Santa Casa e do teatro. Imaginou que seria parente ou amigo do ferido; mas rejeitou a suposição, desde que lhe ouvira perguntar se este tinha família ou pessoa próxima. Disse-lhe o preto que não, e ele assumiu a direção do serviço, pediu às pessoas estranhas que se retirassem, pagou aos carregadores, e deu as primeiras ordens. Sabendo que o Garcia era vizinho e estudante de medicina pediu-lhe que ficasse para ajudar o médico. Em seguida contou o que se passara.

— Foi uma malta de capoeiras. Eu vinha do quartel de Moura, onde fui visitar um primo, quando ouvi um barulho muito grande, e logo depois um ajuntamento. Parece que eles feriram também a um sujeito que passava, e que entrou por um daqueles becos; mas eu só vi a este senhor, que atravessava a rua no momento em que um dos capoeiras, roçando por ele, meteu-lhe o punhal. Não caiu logo; disse onde morava e, como era a dois passos, achei melhor trazê-lo.

— Conhecia-o antes? — perguntou Garcia.

— Não, nunca o vi. Quem é?

— É um bom homem, empregado no arsenal de guerra. Chama-se Gouvêa.

— Não sei quem é.

Médico e subdelegado vieram daí a pouco; fez-se o curativo, e tomaram-se as informações. O desconhecido declarou chamar-se Fortunato Gomes da Silveira, ser capitalista, solteiro, morador em Catumbi. A ferida foi reconhecida grave. Durante o curativo ajudado pelo estudante, Fortunato serviu de criado, segurando a bacia, a vela, os panos, sem perturbar nada, olhando friamente para o ferido, que gemia muito. No fim, entendeu-se particularmente com o médico, acompanhou-o até o patamar da escada, e reiterou ao subdelegado a declaração de estar pronto a auxiliar as pesquisas da polícia. Os dois saíram, ele e o estudante ficaram no quarto.

Garcia estava atônito. Olhou para ele, viu-o sentar-se tranquilamente, estirar as pernas, meter as mãos nas algibeiras das calças, e fitar os olhos no ferido. Os olhos eram claros, cor de chumbo, moviam-se devagar, e tinham a expressão dura, seca e fria. Cara magra e pálida; uma tira estreita de barba, por baixo do queixo, e de uma têmpora a outra, curta, ruiva e rara. Teria quarenta anos. De quando em quando, voltava-se para o estudante, e perguntava alguma coisa acerca do ferido; mas tornava logo a olhar para ele, enquanto o rapaz lhe dava a resposta. A sensação que o estudante recebia era de repulsa ao mesmo tempo que de curiosidade; não podia negar que estava assistindo a um ato de rara dedicação, e se era desinteressado como parecia, não havia mais que aceitar o coração humano como um poço de mistérios.

Fortunato saiu pouco antes de uma hora; voltou nos dias seguintes, mas a cura fez-se depressa, e, antes de concluída, desapareceu sem dizer ao obsequiado onde morava. Foi o estudante que lhe deu as indicações do nome, rua e número.

— Vou agradecer-lhe a esmola que me fez, logo que possa sair — disse o convalescente.

Correu a Catumbi daí a seis dias. Fortunato recebeu-o constrangido, ouviu impaciente as palavras de agradecimento, deu-lhe uma resposta enfastiada e acabou batendo com as borlas do chambre no joelho. Gouvêa, defronte dele, sentado e calado, alisava o chapéu com os dedos, levantando os olhos de quando em quando, sem achar mais nada que dizer. No fim de dez minutos, pediu licença para sair, e saiu.

— Cuidado com os capoeiras! — disse-lhe o dono da casa, rindo-se.

O pobre-diabo saiu de lá mortificado, humilhado, mastigando a custo o desdém, forcejando por esquecê-lo, explicá-lo ou perdoá-lo, para que no coração só ficasse a memória do benefício; mas o esforço era vão. O ressentimento, hóspede novo e exclusivo, entrou e pôs fora o benefício, de tal modo que o desgraçado não teve mais que trepar à cabeça e refugiar-se ali como uma simples ideia. Foi assim que o próprio benfeitor insinuou a este homem o sentimento da ingratidão.

Tudo isso assombrou o Garcia. Este moço possuía, em gérmen, a faculdade de decifrar os homens, de decompor os caracteres, tinha o amor da análise, e sentia o regalo, que dizia ser supremo, de penetrar muitas camadas morais, até apalpar o segredo de um organismo. Picado de curiosidade, lembrou-se de ir ter com o homem de Catumbi, mas advertiu que nem recebera dele o oferecimento formal da casa. Quando menos, era-lhe preciso um pretexto, e não achou nenhum.

Tempos depois, estando já formado e morando na Rua de Matacavalos, perto da do Conde, encontrou Fortunato em uma gôndola, encontrou-o ainda outras vezes, e a frequência trouxe a familiaridade. Um dia Fortunato convidou-o a ir visitá-lo ali perto, em Catumbi.

— Sabe que estou casado?
— Não sabia.
— Casei-me há quatro meses, podia dizer quatro dias. Vá jantar conosco domingo.
— Domingo?
— Não esteja forjando desculpas; não admito desculpas. Vá domingo.

Garcia foi lá domingo. Fortunato deu-lhe um bom jantar, bons charutos e boa palestra, em companhia da senhora, que era interessante. A figura dele não mudara; os olhos eram as mesmas chapas de estanho, duras e frias; as outras feições não eram mais atraentes que dantes. Os obséquios, porém, se não resgatavam a natureza, davam alguma compensação, e não era pouco. Maria Luísa é que possuía ambos os feitiços, pessoa e modos. Era esbelta, airosa, olhos meigos e submissos; tinha vinte e cinco anos e parecia não passar de dezenove. Garcia, à segunda vez que lá foi, percebeu que entre eles havia alguma dissonância de caracteres, pouca ou nenhuma afinidade moral, e da parte da mulher para com o marido uns modos que transcendiam o respeito e confinavam na resignação e no temor. Um dia, estando os três juntos, perguntou Garcia a Maria Luísa se tivera notícia das circunstâncias em que ele conhecera o marido.

— Não — respondeu a moça.
— Vai ouvir uma ação bonita.
— Não vale a pena — interrompeu Fortunato.
— A senhora vai ver se vale a pena — insistiu o médico.

Contou o caso da Rua de Dom Manoel. A moça ouviu-o espantada. Insensivelmente estendeu a mão e apertou o pulso ao marido, risonha e agradecida, como se acabasse de descobrir-lhe o coração. Fortunato sacudia os ombros, mas não ouvia com indiferença. No fim contou ele próprio a visita que o ferido lhe fez, com todos os pormenores da figura, dos gestos, das palavras atadas, dos silêncios, em suma, um estúrdio. E ria muito ao contá-la. Não era o riso da dobrez. A dobrez é evasiva e oblíqua; o riso dele era jovial e franco. "Singular homem!", pensou Garcia.

Maria Luísa ficou desconsolada com a zombaria do marido; mas o médico restituiu-lhe a satisfação anterior, voltando a referir a dedicação deste e as suas raras qualidades de enfermeiro; tão bom enfermeiro, concluiu ele, que, se algum dia fundar uma casa de saúde, irei convidá-lo.

— Valeu? — perguntou Fortunato.
— Valeu o quê?

— Vamos fundar uma casa de saúde?

— Não valeu nada; estou brincando.

— Podia-se fazer alguma coisa; e para o senhor, que começa a clínica, acho que seria bem bom. Tenho justamente uma casa que vai vagar, e serve.

Garcia recusou nesse e no dia seguinte; mas a ideia tinha-se metido na cabeça ao outro, e não foi possível recuar mais. Na verdade, era uma boa estreia para ele, e podia vir a ser um bom negócio para ambos. Aceitou finalmente, daí a dias, e foi uma desilusão para Maria Luísa. Criatura nervosa e frágil, padecia só com a ideia de que o marido tivesse de viver em contato com enfermidades humanas, mas não ousou opor-se-lhe, e curvou a cabeça. O plano fez-se e cumpriu-se depressa. Verdade é que Fortunato não curou de mais nada, nem então, nem depois. Aberta a casa, foi ele o próprio administrador e chefe de enfermeiros, examinava tudo, ordenava tudo, compras e caldos, drogas e contas.

Garcia pôde então observar que a dedicação ao ferido da Rua de Dom Manoel não era um caso fortuito, mas assentava na própria natureza deste homem. Via-o servir como nenhum dos fâmulos. Não recuava diante de nada, não conhecia moléstia aflitiva ou repelente, e estava sempre pronto para tudo, a qualquer hora do dia ou da noite. Toda a gente pasmava e aplaudia. Fortunato estudava, acompanhava as operações, e nenhum outro curava os cáusticos.

— Tenho muita fé nos cáusticos, dizia ele.

A comunhão dos interesses apertou os laços da intimidade. Garcia tornou-se familiar na casa; ali jantava quase todos os dias, ali observava a pessoa e a vida de Maria Luísa, cuja solidão moral era evidente. E a solidão como que lhe duplicava o encanto. Garcia começou a sentir que alguma coisa o agitava, quando ela aparecia, quando falava, quando trabalhava, calada, ao canto da janela, ou tocava ao piano umas músicas tristes. Manso e manso, entrou-lhe o amor no coração. Quando deu por ele, quis expeli-lo para que entre ele e Fortunato não houvesse outro laço que o da amizade; mas não pôde. Pôde apenas trancá-lo; Maria Luísa compreendeu ambas as coisas, a afeição e o silêncio, mas não se deu por achada.

No começo de outubro deu-se um incidente que desvendou ainda mais aos olhos do médico a situação da moça. Fortunato metera-se a estudar anatomia e fisiologia, e ocupava-se nas horas vagas em rasgar e envenenar gatos e cães. Como os guinchos dos animais atordoavam os doentes, mudou o laboratório para casa, e a mulher, compleição nervosa, teve de os sofrer. Um dia, porém, não podendo mais, foi ter com o médico e pediu-lhe que, como coisa sua, alcançasse do marido a cessação de tais experiências.

— Mas a senhora mesma...

Maria Luísa acudiu, sorrindo:

— Ele naturalmente achará que sou criança. O que eu queria é que o senhor, como médico, lhe dissesse que isso me faz mal; e creia que faz...

Garcia alcançou prontamente que o outro acabasse com tais estudos. Se os foi fazer em outra parte, ninguém o soube, mas pode ser que sim. Maria Luísa agradeceu ao médico, tanto por ela como pelos animais, que não podia ver padecer. Tossia de quando em quando; Garcia perguntou-lhe se tinha alguma coisa, ela respondeu que nada.

— Deixe ver o pulso.

— Não tenho nada.

Não deu o pulso, e retirou-se. Garcia ficou apreensivo. Cuidava, ao contrário, que ela podia ter alguma coisa, que era preciso observá-la e avisar o marido em tempo.

Dois dias depois, exatamente o dia em que os vemos agora, Garcia foi lá jantar. Na sala disseram-lhe que Fortunato estava no gabinete, e ele caminhou para ali; ia chegando à porta, no momento em que Maria Luísa saía aflita.

— Que é? — perguntou-lhe.

— O rato! O rato! — exclamou a moça sufocada e afastando-se.

Garcia lembrou-se que na véspera ouvira ao Fortunato queixar-se de um rato, que lhe levara um papel importante; mas estava longe de esperar o que viu. Viu Fortunato sentado à mesa, que havia no centro do gabinete, e sobre a qual pusera um prato com espírito de vinho. O líquido flamejava. Entre o polegar e o índice da mão esquerda segurava um barbante, de cuja ponta pendia o rato atado pela cauda. Na direita tinha uma tesoura. No momento em que o Garcia entrou, Fortunato cortava ao rato uma das patas; em seguida desceu o infeliz até a chama, rápido, para não matá-lo, e dispôs-se a fazer o mesmo à terceira, pois já lhe havia cortado a primeira. Garcia estacou horrorizado.

— Mate-o logo! — disse-lhe.

— Já vai.

E com um sorriso único, reflexo de alma satisfeita, alguma coisa que traduzia a delícia íntima das sensações supremas, Fortunato cortou a terceira pata ao rato, e fez pela terceira vez o mesmo movimento até a chama. O miserável estorcia-se, guinchando, ensanguentado, chamuscado, e não acabava de morrer. Garcia desviou os olhos, depois voltou-os novamente, e estendeu a mão para impedir que o suplício continuasse, mas não chegou a fazê-lo, porque o diabo do homem impunha medo, com toda aquela serenidade radiosa da fisionomia. Faltava cortar a última pata; Fortunato cortou-a muito devagar, acompanhando a tesoura com os olhos; a pata caiu, e ele ficou olhando para o rato meio cadáver. Ao descê-lo pela quarta vez, até a chama, deu ainda mais rapidez ao gesto, para salvar, se pudesse, alguns farrapos de vida.

Garcia, defronte, conseguia dominar a repugnância do espetáculo para fixar a cara do homem. Nem raiva, nem ódio; tão somente um vasto prazer, quieto e profundo, como daria a outro a audição de uma bela sonata ou a vista de uma estátua divina, alguma coisa parecida com a pura sensação estética. Pareceu-lhe, e era verdade, que Fortunato havia-o inteiramente esquecido. Isto posto, não estaria fingindo, e devia ser aquilo mesmo. A chama ia morrendo, o rato podia ser que tivesse ainda um resíduo de vida, sombra de sombra; Fortunato aproveitou-o para cortar-lhe o focinho e pela última vez chegar a carne ao fogo. Afinal deixou cair o cadáver no prato, e arredou de si toda essa mistura de chamusco e sangue.

Ao levantar-se deu com o médico e teve um sobressalto. Então, mostrou-se enraivecido contra o animal, que lhe comera o papel; mas a cólera evidentemente era fingida.

"Castiga sem raiva", pensou o médico, "pela necessidade de achar uma sensação de prazer, que só a dor alheia lhe pode dar: é o segredo deste homem".

Fortunato encareceu a importância do papel, a perda que lhe trazia, perda de tempo, é certo, mas o tempo agora era-lhe preciosíssimo. Garcia ouvia só, sem dizer nada, nem lhe dar crédito. Relembrava os atos dele, graves e leves, achava a mesma explicação para todos. Era a mesma troca das teclas da sensibilidade, um diletantismo *sui generis*, uma redução de Calígula.

Quando Maria Luísa voltou ao gabinete, daí a pouco, o marido foi ter com ela, rindo, pegou-lhe nas mãos e falou-lhe mansamente:

– Fracalhona!

E voltando-se para o médico:

– Há de crer que quase desmaiou?

Maria Luísa defendeu-se a medo, disse que era nervosa e mulher; depois foi sentar-se à janela com as suas lãs e agulhas, e os dedos ainda trêmulos, tal qual a vimos no começo desta história. Hão de lembrar-se que, depois de terem falado de outras coisas, ficaram calados os três, o marido sentado e olhando para o teto, o médico estalando as unhas. Pouco depois foram jantar; mas o jantar não foi alegre. Maria Luísa cismava e tossia; o médico indagava de si mesmo se ela não estaria exposta a algum excesso na companhia de tal homem. Era apenas possível; mas o amor trocou-lhe a possibilidade em certeza; tremeu por ela e cuidou de os vigiar.

Ela tossia, tossia, e não se passou muito tempo que a moléstia não tirasse a máscara. Era a tísica, velha dama insaciável, que chupa a vida toda, até deixar um bagaço de ossos. Fortunato recebeu a notícia como um golpe; amava deveras a mulher, a seu modo, estava acostumado com ela, custava-lhe perdê-la. Não poupou esforços, médicos, remédios, ares, todos os recursos e todos os paliativos. Mas foi tudo vão. A doença era mortal.

Nos últimos dias, em presença dos tormentos supremos da moça, a índole do marido subjugou qualquer outra afeição. Não a deixou mais; fitou o olho baço e frio naquela decomposição lenta e dolorosa da vida, bebeu uma a uma as aflições da bela criatura, agora magra e transparente, devorada de febre e minada de morte. Egoísmo aspérrimo, faminto de sensações, não lhe perdoou um só minuto de agonia, nem lhos pagou com uma só lágrima, pública ou íntima. Só quando ela expirou, é que ele ficou aturdido. Voltando a si, viu que estava outra vez só.

De noite, indo repousar uma parenta de Maria Luísa, que a ajudara a morrer, ficaram na sala Fortunato e Garcia, velando o cadáver, ambos pensativos; mas o próprio marido estava fatigado, o médico disse-lhe que repousasse um pouco.

— Vá descansar, passe pelo sono uma hora ou duas: eu irei depois.

Fortunato saiu, foi deitar-se no sofá da saleta contígua, e adormeceu logo. Vinte minutos depois acordou, quis dormir outra vez, cochilou alguns minutos, até que se levantou e voltou à sala. Caminhava nas pontas dos pés para não acordar a parenta, que dormia perto. Chegando à porta, estacou assombrado.

Garcia tinha-se chegado ao cadáver, levantara o lenço e contemplara por alguns instantes as feições defuntas. Depois, como se a morte espiritualizasse tudo, inclinou-se e beijou-a na testa. Foi nesse momento que Fortunato chegou à porta. Estacou assombrado; não podia ser o beijo da amizade, podia ser o epílogo de um livro adúltero. Não tinha ciúmes, note-se; a natureza compô-lo de maneira que lhe não deu ciúmes nem inveja, mas dera-lhe vaidade, que não é menos cativa ao ressentimento.

Olhou assombrado, mordendo os beiços.

Entretanto, Garcia inclinou-se ainda para beijar outra vez o cadáver; mas então não pôde mais. O beijo rebentou em soluços, e os olhos não puderam conter as lágrimas, que vieram em borbotões, lágrimas de amor calado, e irremediável desespero. Fortunato, à porta, onde ficara, saboreou tranquilo essa explosão de dor moral que foi longa, muito longa, deliciosamente longa.

A CHAVE

CAPÍTULO I

NÃO SEI SE LHES diga simplesmente que era de madrugada, ou se comece num tom mais poético: aurora, com seus róseos dedos... A maneira simples é o que melhor me conviria a mim, ao leitor, aos banhistas que estão agora na Praia do Flamengo; agora, isto é, no dia 7 de outubro de 1861, que é quando tem princípio este caso que lhes vou contar. Convinha-nos isto; mas há lá um certo velho, que me não leria, se eu me limitasse a dizer que vinha nascendo a madrugada, um velho que... digamos quem era o velho.

Imaginem os leitores um sujeito gordo, não muito gordo, calvo, de óculos, tranquilo, tardo, meditativo. Tem sessenta anos: nasceu com o século. Traja asseadamente um vestuário da manhã; vê-se que é abastado ou exerce algum alto emprego na administração. Saúde de ferro. Disse já que era calvo; equivale a dizer que não usava cabeleira. Incidente sem valor, observará a leitora, que tem pressa. Ao que lhe replico que o incidente é grave, muito grave, extraordinariamente grave. A cabeleira devia ser o natural apêndice da cabeça do major Caldas, porque cabeleira traz ele no espírito, que também é calvo.

Calvo é o espírito. O major Caldas cultivou as letras, desde 1821 até 1840 com um ardor verdadeiramente deplorável. Era poeta; compunha versos com presteza, retumbantes, cheios de adjetivos, cada qual mais calvo do que ele tinha de ficar em 1861. A primeira poesia foi dedicada a não sei que outro poeta, e continha em germe todas as odes e glosas que ele havia de produzir. Não compreendeu nunca o major Caldas que se pudesse fazer outra coisa que não glosas e odes de toda a casta, pindáricas ou horacianas, e também idílios piscatórios, obras perfeitamente legítimas na aurora literária do major. Nunca para ele houve poesia que pudesse competir com a de um Dinis ou Pimentel Maldonado; era a sua cabeleira do espírito.

Ora, é certo que o major Caldas, se eu dissesse que era de madrugada, dar-me-ia um muxoxo ou franziria a testa com desdém. "Madrugada! Era de madrugada!", murmuraria ele. Isto diz aí qualquer preta: "nhanhá, era de madrugada...". Os jornais não dizem de outro modo; mas numa novela...

Vá pois! A aurora, com seus dedos cor-de-rosa, vinha rompendo as cortinas do oriente, quando Marcelina levantou a cortina da barraca. A porta da barraca olhava justamente para o oriente, de modo que não há inverossimilhança em lhes dizer que essas duas auroras se contemplaram por um minuto. Um poeta arcádico chegaria a insinuar que a aurora celeste enrubesceu de despeito e raiva. Seria porém levar a poesia muito longe. Deixemos a do céu e venhamos à da terra. Lá está ela, à porta da barraca com as mãos cruzadas no peito, como quem tem frio; traja a roupa usual das banhistas, roupa que só dá elegância a quem já a tiver em subido grau. É o nosso caso.

Assim, à meia-luz da manhã nascente, não sei se poderíamos vê-la de modo claro. Não; é impossível. Quem lhe examinaria agora aqueles olhos úmidos, como as conchas da praia, aquela boca pequenina, que parece um beijo perpétuo? Vede, porém, o talhe, a curva amorosa das cadeiras, o trecho de perna que aparece entre a barra da calça de flanela e o tornozelo; digo o tornozelo e não o sapato porque Marcelina não calça sapatos de banho. Costume ou vaidade? Pode ser costume; se for vaidade é explicável porque o sapato esconderia e mal os pés mais graciosos de todo o Flamengo, um par de pés finos, esguios, ligeiros. A cabeça também não leva coifa; tem os cabelos atados em parte, em parte trançados – tudo desleixadamente, mas de um desleixo voluntário e casquilho. Agora, que a luz está mais clara, podemos ver bem a expressão do rosto. É uma expressão singular de pomba e gato, de mimo e desconfiança. Há olhares dela que atraem, outros que distanciam, uns que inundam a gente, como um bálsamo, outros que penetram como uma lâmina. É desta última maneira que ela olha para um grupo de duas moças, que estão à porta de outra barraca, a falar com um sujeito.

– Lambisgoias! – murmura entredentes.

– Que é? – pergunta o pai de Marcelina, o major Caldas, sentado ao pé da barraca, numa cadeira que o moleque lhe leva todas as manhãs.

– Que é o quê? – diz a moça.

– Tu falaste alguma coisa.

– Nada.

– Estás com frio?

– Algum.

– Pois olha, a manhã está quente.

– Onde está o José?

O José apareceu logo; era o moleque que a acompanhava ao mar. Aparecido o José, Marcelina caminhou para o mar, com um desgarro de moça bonita e superior. Da outra barraca tinham já saído as duas moças, que lhe mereceram tão desdenhosa classificação; o rapaz que estava com elas também entrara no mar. Outras cabeças e bustos surgiram da água, como um grupo de delfins. Da praia alguns olhos, puramente curiosos, se estendiam aos banhistas ou cismavam puramente contemplando o espetáculo das ondas que se dobravam e desdobravam, ou, como diria o major Caldas, as convulsões de Anfitrite.

O major ficou sentado a ver a filha, com o Jornal do Commercio aberto sobre os joelhos; tinha já luz bastante para ler as notícias; mas não o fazia nunca antes de voltar a filha do banho. Isto por duas razões. Era a primeira a própria afeição de pai; apesar da confiança na destreza da filha, receava algum desastre. Era a segunda o gosto que lhe dava contemplar a graça e a habilidade com que Marcelina mergulhava, bracejava ou simplesmente boiava "como uma náiade", acrescentava ele se falava disso a algum amigo.

Acresce que o mar naquela manhã estava muito mais bravio que de costume; a ressaca era forte; os buracos da praia mais fundos; o medo afastava vários banhistas habituais.

– Não te demores muito, disse o major, quando a filha entrou; toma cuidado.

Marcelina era destemida; galgou a linha em que se dava a arrebentação, e surdiu fora muito naturalmente. O moleque, aliás bom nadador, não rematou a façanha com igual placidez; mas galgou também e foi surgir ao lado da sinhá-moça.

– Hoje o bicho não está bom – ponderou um banhista ao lado de Marcelina, um homem maduro, de suíças, ar aposentado.

– Parece que não – disse a moça –, mas para mim é o mesmo.

– O major continua a não gostar d'água salgada? – perguntou uma senhora.

– Diz que é militar de terra e não do mar – replicou Marcelina –, mas eu creio que papai o que quer é ler o Jornal à vontade.

– Podia vir lê-lo aqui – insinuou um rapaz de bigodes, dando uma grande risada de aplauso a si mesmo.

Marcelina nem olhou para ele; mergulhou diante de uma onda, surdiu fora, com as mãos sacudiu os cabelos. O sol, que já então aparecera, alumiava-a nessa ocasião, ao passo que a onda, seguindo para a praia, deixava-lhe todo o busto fora de água. Foi assim que a viu, pela primeira vez, com os cabelos úmidos, e a flanela grudada ao busto, ao mais correto e virginal busto daquelas praias, foi assim que pela primeira vez a viu o Bastinhos, o Luís Bastinhos, que acabava de entrar no mar, para tomar o primeiro banho no Flamengo.

CAPÍTULO II

A ocasião é a menos própria para apresentar-lhes o senhor Luís Bastinhos; a ocasião e o lugar. O vestuário então é impropriíssimo. Ao vê-lo agora, a meio-busto, nem se pode dizer que tenha vestuário de nenhuma espécie. Emerge-lhe a parte superior do corpo, boa musculatura, pele alva, mal coberta de alguma penugem. A cabeça é que não precisa dos arrebiques da civilização para dizer-se bonita. Não há cabeleireiro, nem óleo, nem pente, nem ferro que no-la ponham mais graciosa. Ao contrário, a pressão fisionômica de Luís Bastinhos acomoda-se melhor a esse desalinho agreste e marítimo. Talvez perca, quando se pentear. Quanto ao bigode, fino e curto, os pingos-d'água que ora lhe escorrem não chegam a diminuí-lo; não chegam sequer a ver-se. O bigode persiste como dantes.

Não o viu Marcelina, ou não reparou nele. O Luís Bastinhos é que a viu, e mal pôde disfarçar a admiração. O major Caldas, se os observasse, era capaz de casá-los, só para ter o gosto de dizer que unia uma náiade a um tritão. Nesse momento a náiade repara que o tritão tem os olhos fitos nela, e mergulha, depois mergulha outra vez, nada e boia. Mas o tritão é teimoso, e não lhe tira os olhos de cima.

"Que importuno!", diz ela consigo.

– Olhem uma onda grande – brada um dos conhecidos de Marcelina.

Todos se puseram em guarda, a onda enrolou alguns, mas passou sem maior dano. Outra veio e foi recebida com um alarido alegre; enfim veio uma mais forte, e assustou algumas senhoras. Marcelina riu-se delas.

– Nada – dizia uma. – Salvemos o pelo; o mar está ficando zangado.

– Medrosa! – acudiu Marcelina.

– Pois sim...

– Querem ver? – continuou a filha do major. – Vou mandar embora o moleque.

– Não faça isso, dona Marcelina – acudiu o banhista de ar aposentado.

– Não faço outra coisa. José, vai-te embora.

– Mas, nhanhã...

– Vai-te embora!

O José ainda esteve alguns segundos, sem saber o que fizesse; mas, parece que entre desagradar ao pai ou à filha, achou mais arriscado desagradar à filha, e caminhou para terra. Os outros banhistas tentaram persuadir à moça que devia vir também, mas era tempo baldado. Marcelina tinha a obstinação de um *enfant gâté*. Lembraram alguns que ela nadava como um peixe, e resistira muita vez ao mar.

– Mas o mar do Flamengo é o diabo – ponderou uma senhora.

Os banhistas pouco a pouco foram deixando o mar. Do lado de terra, o major Caldas, de pé, ouvia impaciente a explicação do moleque, sem saber se o devolveria à água ou se cumpriria a vontade da filha; limitou-se a soltar palavras de enfado.

– Santa Maria! – exclamou de repente o José.
– Que foi? – disse o major.

O José não lhe respondeu; atirou-se à água. O major olhou e não viu a filha. Efetivamente, a moça, vendo que no mar só ficava o desconhecido, nadou para terra, mas as ondas tinham-se sucedido com frequência e impetuosidade. No lugar da arrebentação foi envolvida por uma; nesse momento é que o moleque a viu.

– Minha filha! – bradou o major.

E corria desatinado pela areia, enquanto o moleque conscienciosamente buscava penetrar no mar. Mas era já empresa escabrosa; as ondas estavam altas, fortes e a arrebentação terrível. Outros banhistas acudiram também a salvar a filha do major; mas a dificuldade era só uma para todos. Caldas, ora implorava, ora ordenava ao moleque que lhe restituísse a filha. Enfim, José conseguiu entrar no mar. Mas já então lutava ali, junto ao funesto lugar, o desconhecido banhista que tanto aborrecera a filha do major. Este estremeceu de alegria, de esperança, quando viu que alguém forcejava por arrancar a moça da morte. Na verdade, o vulto de Marcelina apareceu nos braços do Luís Bastinhos; mas uma onda veio e os enrolou a ambos. Nova luta, novo esforço e desta vez definitivo triunfo. Luís Bastinhos chegou à praia arrastando consigo a moça.

– Morta! – exclamou o pai correndo a vê-la. Examinaram-na.
– Não, desmaiada, apenas.

Com efeito, Marcelina perdera os sentidos, mas não morrera. Deram-lhe os socorros médicos; ela voltou a si. O pai, singelamente alegre, apertou Luís Bastinhos ao coração.

– Devo-lhe tudo! – disse ele.
– A sua felicidade me paga de sobra – tornou o moço.

O major fitou-o alguns instantes; impressionara-o a resposta. Depois apertou-lhe a mão e ofereceu-lhe a casa. Luís Bastinhos retirou-se antes que Marcelina pudesse vê-lo.

CAPÍTULO III

Na verdade, se a leitora gosta de lances romanescos, aí fica um, com todo o valor das antigas novelas, e pode ser também que dos dramalhões antigos. Nada falta: o mar, o perigo, uma dama que se afoga, um desconhecido que a salva, um pai que passa da extrema aflição ao mais doce prazer da vida; eis aí com que marchar cerradamente a cinco atos maçudos e sangrentos, rematando tudo com a morte ou a loucura da heroína. Não temos cá nem uma coisa nem outra. A nossa Marcelina não morreu nem morre; doida pode ser que já fosse, mas de uma doidice branda, a doidice das moças em flor. Ao menos pareceu que tinha alguma coisa disso, quando naquele mesmo dia soube que fora salva pelo desconhecido.

— Impossível! — exclamou.
— Por quê?
— Foi ele deveras?
— Pois então! Salvou-te com perigo da vida própria; houve um momento, em que eu cuidei que vocês morriam enrolados na onda.
— É a coisa mais natural do mundo — interveio a mãe — e não sei de que te espantas...

Marcelina não podia, na verdade, explicar a causa do espanto; ela mesma não a sabia. Custava-lhe a crer que Luís Bastinhos a tivesse salvo, e isso só porque "embirrara com ele". Ao mesmo tempo, pesava-lhe o obséquio. Não quisera ter morrido; mas era melhor que outro a houvesse arrancado ao mar, não aquele homem, que afinal era um grande metediço. Marcelina esteve inclinada a crer que Luís Bastinhos encomendara o desastre para ter ocasião de a servir.

Dois dias depois, Marcelina voltou ao mar, já pacificado dos seus furores de encomenda. Ao olhar para ele, teve uns ímpetos de Xerxes; fá-lo-ia castigar, se dispusesse de um bom e grande vergalho. Não tendo o vergalho, preferiu flagelá-lo com os seus próprios braços, e nadou nesse dia mais tempo e mais fora do que era costume, não obstante as recomendações do major. Levava naquilo um pouco, ou antes, muito amor-próprio: o desastre envergonhara-a.

O Luís Bastinhos, que já lá estava no mar, travou conversação com a filha do major. Era a segunda vez que se viam, e a primeira que se falavam.

— Soube que foi o senhor quem me ajudou... a levantar anteontem, disse Marcelina.

O Luís Bastinhos sorriu mentalmente; e ia responder por uma simples afirmativa, quando Marcelina continuou:

— Ajudou, não sei; eu creio que cheguei a perder os sentidos, e o senhor... sim... o senhor foi quem me salvou. Permite-me que lhe agradeça? – concluiu ela, estendendo a mão.

Luís Bastinhos estendeu a sua; e ali, entre duas ondas, tocaram-se os dedos do tritão e da náiade.

— Hoje o mar está mais manso – disse ele.
— Está.
— A senhora nada bem.
— Parece-lhe?
— Perfeitamente.
— Menos mal.

E como para mostrar a sua arte, Marcelina entrou a nadar para fora, deixando Luís Bastinhos. Este, porém, ou por mostrar que também sabia a arte e que era destemido, ou por não privar a moça de pronto socorro, caso houvesse necessidade, ou enfim (e este motivo pode ter sido o principal, se não único) para vê-la sempre de mais perto, lá foi na mesma esteira; dentro de pouco era uma espécie de aposta entre os dois.

— Marcelina – disse-lhe o pai, quando ela voltou a terra –, você hoje foi mais longe do que nunca. Não quero isso, ouviu?

Marcelina levantou os ombros, mas obedeceu ao pai, cujo tom nessa ocasião era desusadamente ríspido. No dia seguinte, não foi tão longe a nadar; a conversar, porém, foi muito mais longe do que na véspera. Ela confessou ao Luís Bastinhos, ambos com a água até o pescoço, confessou que gostava muito de café com leite, que tinha vinte e um anos, que possuía reminiscências do Tamberlick, e que o banho do mar seria excelente, se não a obrigassem a acordar cedo.

— Deita-se tarde, não é? – perguntou o Luís Bastinhos.
— Perto de meia-noite.
— Oh! Dorme pouco!
— Muito pouco.
— De dia dorme?
— Às vezes.

Luís Bastinhos confessou, pela sua parte, que se deitava cedo, muito cedo, desde que estava a banhos de mar.

— Mas quando for ao teatro?
— Nunca vou ao teatro.
— Pois eu gosto muito.
— Também eu; mas enquanto estiver a banhos...

Foi neste ponto que entraram as reminiscências do Tamberlick, que Marcelina ouviu, quando criança; e daí ao João Caetano, e do João Caetano a não sei que outras reminiscências, que a um e a outro fez esquecer a higiene e a situação.

CAPÍTULO IV

Saiamos do mar que é tempo. A leitora pode desconfiar que o intento do autor é fazer um conto marítimo, a ponto de casar os dois heróis nos próprios "paços de Anfitrite", como diria o major Caldas. Não; saiamos do mar. Já tens muita água, boa Marcelina. *Too much of water hast thou, poor Ophelia*! A diferença é que a pobre Ofélia lá ficou, ao passo que tu sais sã e salva, com a roupa de banho pegada ao corpo, um corpo grego, por Deus! e entras na barraca, e se alguma coisa ouves, não são as lágrimas dos teus, são os resmungos do major. Saiamos do mar.

Um mês depois do último banho a que o leitor assistiu, já o Luís Bastinhos frequentava a casa do major Caldas. O major afeiçoara-se-lhe deveras depois que ele lhe salvara a filha. Indagou quem era; soube que estava empregado numa repartição de Marinha, que seu pai, já agora morto, fora capitão-de-fragata e figurara na guerra contra Rosas. Soube mais que era moço bem reputado e decente. Tudo isto realçou a ação generosa e corajosa de Luís Bastinhos, e a intimidade começou, sem oposição da parte de Marcelina, que antes contribuiu para ela, com as suas melhores maneiras.

Um mês era de sobra para arraigar no coração de Luís Bastinhos a planta do amor que havia germinado entre duas vagas do Flamengo. A planta cresceu, copou, bracejou ramos a um e outro lado, tomou o coração todo do rapaz, que não se lembrava jamais de haver gostado tanto de uma moça. Era o que ele dizia a um amigo de infância, seu atual confidente.

– E ela? – disse-lhe o amigo.

– Ela... não sei.

– Não sabes?

– Não; creio que não gosta de mim, isto é, não digo que se aborreça comigo; trata-me muito bem, ri muito, mas não gosta... entendes?

– Não te dá corda em suma – concluiu o Pimentel, que assim se chamava o amigo confidente. – Já lhe disseste alguma coisa?

– Não.

– Por que não lhe falas?

— Tenho receio... Ela pode zangar-se e fico obrigado a não voltar lá ou a frequentar menos, e isso para mim seria o diabo.

O Pimentel era uma espécie de filósofo prático, incapaz de suspirar dois minutos pela mais bela mulher do mundo, e menos ainda de compreender uma paixão como a do Luís Bastinhos. Sorriu, estendeu-lhe a mão em despedida, mas o Luís Bastinhos não consentiu na separação. Puxou-o, deu-lhe o braço, levou-o a um café.

— Mas que diabo queres tu que te faça? — perguntou o Pimentel sentando-se à mesa com ele.

— Que me aconselhes.

— O quê?

— Não sei o quê, mas dize-me alguma coisa — replicou o namorado. — Talvez convenha falar ao pai; que te parece?

— Sem saber se ela gosta de ti?

— Na verdade era imprudência — concordou o outro, coçando o queixo com a ponta do dedo índice —, mas talvez goste...

— Pois então...

— Porque, eu te digo, ela não me trata mal; ao contrário, às vezes tem uns modos, umas coisas... mas não sei... O major esse gosta de mim.

— Ah!

— Gosta.

— Pois aí tens, casa-te com o major.

— Falemos sério.

— Sério? — repetiu o Pimentel debruçando-se sobre a mesa e encarando o outro. — Aqui vai o mais sério que há no mundo; tu és um... digo?

— Dize.

— Tu és um bolas.

Repetiam-se essas cenas regularmente, uma ou duas vezes, por semana. No fim delas o Luís Bastinhos prometia duas coisas a si mesmo: não dizer mais nada ao Pimentel e ir fazer imediatamente a sua confissão a Marcelina; poucos dias depois ia confessar ao Pimentel que ainda não dissera nada a Marcelina. E o Pimentel abanava a cabeça e repetia o estribilho:

— Tu és um bolas.

CAPÍTULO V

Um dia assentou Luís Bastinhos que era vergonha dilatar por mais tempo a declaração de seus afetos; urgia clarear a situação. Ou era amado ou não; no primeiro caso, o silêncio era tolice; no segundo a tolice era a assiduidade. Tal foi a reflexão do namorado; tal foi a sua resolução.

A ocasião era na verdade propícia. O pai ia passar a noite fora; a moça ficara com uma tia surda e sonolenta. Era o sol de Austerlitz; o nosso Bonaparte preparou a sua melhor tática. A fortuna deu-lhe até um grande auxiliar na própria moça, que estava triste; a tristeza podia dispor o coração a sentimentos benévolos, principalmente quando outro coração lhe dissesse que não duvidava beber na mesma taça da melancolia. Esta foi a primeira reflexão de Luís Bastinhos; a segunda foi diferente.

– Por que estará ela triste? – perguntou ele a si mesmo.

E eis o dente do ciúme a trincar-lhe o coração, e o sangue a esfriar-lhe nas veias, e uma nuvem a cobrir-lhe os olhos. Não era para menos o caso. Ninguém adivinharia nessa moça quieta e sombria, sentada a um canto do sofá, a ler as páginas de um romance, ninguém adivinharia nela a borboleta ágil e volúvel de todos os dias. Alguma coisa devia ser; talvez a mordesse algum besouro. E esse besouro não era decerto o Luís Bastinhos; foi o que este pensou e foi o que o entristeceu.

Marcelina ergueu os ombros.

– Alguma coisa que a incomoda – continuou ele.

Um silêncio.

– Não?

– Talvez.

– Pois bem – disse Luís Bastinhos com calor e animado por aquela meia confidência. – Pois bem, diga-me tudo, eu saberei ouvi-la e terei palavras de consolação para as suas dores.

Marcelina olhou um pouco espantada para ele, mas a tristeza dominou outra vez e deixou-se estar calada alguns instantes: finalmente pôs-lhe a mão no braço, e disse que lhe agradecia muito o interesse que mostrava, mas que o motivo de tristeza era-o só para ela e não valia a pena contá-lo. Como Luís Bastinhos teimasse para saber o que era, contou a moça que lhe morrera, nessa manhã, o mico.

Luís Bastinhos respirou à larga. Um mico! Um simples mico! Era pueril o objeto, mas para quem o esperava terrível, antes assim. Ele entregou-se depois a toda a sorte de considerações próprias do caso, disse-lhe que não valia o bicho a pureza dos belos olhos da moça; e daí a escorregar uma insinuação de amor era um quase nada. Ia a fazê-lo: chegou o major.

Oito dias depois houve em casa do major um sarau, "uma brincadeira" como disse o próprio major. Luís Bastinhos foi; estava porém arrufado com a moça: deixou-se ficar a um canto; não se falaram durante a noite inteira.

— Marcelina — disse-lhe no dia seguinte o pai. — Acho que tratas às vezes mal o Bastinhos. Um homem que te salvou da morte.
— Que morte?
— Da morte na Praia do Flamengo.
— Mas, papai, se a gente fosse a morrer de amores por todas as pessoas que nos salvam da morte...
— Mas quem te fala nisso? Digo que o tratas mal às vezes...
— Às vezes, é possível.
— Mas por quê? Ele parece-me um bom rapaz.

Nada mais lhe respondendo a filha, entrou o major a bater com a ponta do pé no chão, um pouco enfadado. Um pouco? Talvez muito. Marcelina destruía-lhe as esperanças, reduzia-lhe a nada o projeto que ele acalentava desde algum tempo, que era casar os dois; casá-los ou uni-los pelos "doces laços do himeneu", que todas foram as suas próprias expressões mentais. E vai a moça e destrói-lho. O major sentia-se velho, podia morrer, e quisera deixar a filha casada e bem casada. Onde achar melhor marido que o Luís Bastinhos?

— Uma pérola — dizia ele a si mesmo.

E enquanto ele ia forjando e desforjando esses projetos, Marcelina suspirava consigo mesma, e sem saber por que; mas suspirava. Também esta pensava na conveniência de casar e casar bem; mas nenhum homem lhe abrira deveras o coração. Quem sabe se a fechadura não servia a nenhuma chave? Quem teria a verdadeira chave do coração de Marcelina? Ela chegou a supor que fosse um bacharel da vizinhança, mas esse casou dentro de algum tempo; depois desconfiara que a chave estivesse em poder de um oficial de Marinha. Erro: o oficial não trazia chave consigo. Assim andou de ilusão em ilusão, e chegou à mesma tristeza do pai. Era fácil acabar com ela: era casar com o Bastinhos. Mas se o Bastinhos, o circunspecto, o melancólico, o taciturno Bastinhos não tinha a chave! Equivalia a recebê-lo à porta sem lhe dar entrada no coração.

CAPÍTULO VI

Cerca de mês e meio depois fazia anos o major, que, animado pelo sarau precedente, quis comemorar com outro aquele dia. "Outra brincadeira, mas desta vez rija", foram os próprios termos em que ele anunciou o caso ao Luís Bastinhos, alguns dias antes.

Pode-se dizer e acreditar que a filha do major não teve outro pensamento desde que o pai lho comunicou também. Começou por encomendar um rico vestido, elegeu costureira, adotou corte, coligiu adornos, presidiu a toda essa grande obra doméstica. Joias, flores, fitas, leques, rendas, tudo lhe passou pelas mãos, e pela memória e pelos sonhos. Sim, a primeira quadrilha foi dançada em sonhos, com um belo cavalheiro húngaro, vestido à moda nacional, cópia de uma gravura da Ilustração Francesa, que ela vira de manhã. Acordada, lastimou sinceramente que não fosse possível ao pai encomendar, de envolta com os perus da ceia, um ou dois cavalheiros húngaros, entre outros motivos porque eram valsadores intermináveis. E depois tão bonitos!

– Sabem que eu pretendo dançar no dia 20? – disse o major uma noite, em casa.

– Você? – retorquiu-lhe um amigo velho.

– Eu.

– Por que não? – assentiu timidamente o Luís Bastinhos.

– Justamente – continuou o major voltando-se para o salvador da filha. E o senhor há de ser o meu vis-à-vis...

– Eu?

– Não dança?

– Um pouco – retorquiu modestamente o moço.

– Pois há de ser o meu vis-à-vis.

Luís Bastinhos curvou-se como quem obedece a uma opressão; com a flexibilidade passiva do fatalismo. Se era necessário dançar, ele o faria, porque dançava como poucos, e obedecer ao velho era uma maneira de amar a moça. Ai dele! Marcelina olhou-o com tamanho desprezo, que se ele lhe apanha o olhar, não é impossível que de uma vez para sempre ali deixasse de pôr os pés. Mas não o viu; continuou a arredá-los dali bem poucas vezes.

Os convites foram profusamente espalhados. O major Caldas fez o inventário de todas as suas relações, antigas e modernas, e não quis que nenhum camarão lhe escapasse pelas malhas: lançou uma rede fina e instante. Se ele não pensava em outra coisa o velho major! Era feliz; sentia-se poupado da adversidade, quando muitos outros companheiros vira cair, uns mortos, outros extenuados somente. A comemoração de seu aniversário tinha, portanto, uma significação mui alta e especial; e foi isso mesmo o que ele disse à filha e aos demais parentes.

O Pimentel, que também fora convidado, sugeriu a Luís Bastinhos a ideia de dar um presente de anos ao major.

– Já pensei nisso – retorquiu o amigo –, mas não sei o que lhe dê.

– Eu te digo.

– Dize.

– Dá-lhe um genro.

– Um genro?

— Sim, um noivo à filha; declara o teu amor e pede-a. Verás que, de todas as dádivas desse dia, essa será a melhor.

Luís Bastinhos bateu palmas ao conselho do Pimentel.

— É isso mesmo — disse ele. — Eu andava com a ideia em alguma joia, mas...

— Mas a melhor joia és tu mesmo — concluiu o Pimentel.

— Não digo tanto.

— Mas pensas.

— Pimentel!

— E eu não penso outra coisa. Olha, se eu tivesse intimidade na casa, há muito tempo que estarias amarrado à pequena. Pode ser que ela não goste de ti; mas também é difícil a uma moça alegre e travessa gostar de um casmurro, como tu, que te sentas, defronte dela, com um ar solene e dramático, a dizer em todos os teus gestos: minha senhora, fui eu que a salvei da morte; deve rigorosamente entregar-me a sua vida... Ela pensa decerto que estás fazendo um calembour de mau gosto e fecha-te a porta...

Luís Bastinhos esteve calado alguns instantes.

— Perdoo-te tudo, a troco do conselho que me deste; vou oferecer um genro ao major.

Dessa vez, como de todas as outras, a promessa era maior do que a realidade; ele lá foi, lá tornou, nada fez. Iniciou duas ou três vezes uma declaração; chegou a entornar um ou dois olhares de amor, que não pareceram de todo feios à pequena; e, porque ela sorriu, ele desconfiou e desesperou. "Qual", pensava consigo o rapaz; ela ama a outro com certeza.

Veio enfim o dia, o grande dia. O major deu um pequeno jantar, em que figurou Luís Bastinhos; de noite reuniu uma parte dos convidados, porque nem todos lá puderam ir, e fizeram bem; a casa não dava para tanto. Ainda assim era muita gente reunida, muita e brilhante, e alegre, como alegre parecia e deveras estava o major. Não se disse nem se dirá dos brindes do major, à mesa do jantar; não podem inserir-se aqui todas as recordações clássicas do velho poeta de outros anos; seria não acabar mais. A única coisa que verdadeiramente se pode dizer é que o major declarou, à sobremesa, ser esse o dia mais venturoso de todos os seus longos anos, entre outros motivos, porque tinha gosto de ver ao pé de si o jovem salvador da filha.

— Que ideia! — murmurou a filha; e deu um imperceptível muxoxo. Luís Bastinhos aproveitou o ensejo. "Magnífico", disse ele consigo; "depois do café, peço-lhe duas palavras em particular, e logo depois a filha."

Assim fez; tomado o café, pediu ao major uns cinco minutos de atenção. Caldas, um pouco vermelho de comoção e de champanhe, declarou-lhe que até lhe daria cinco mil minutos, se tantos fossem precisos.

Luís Bastinhos sorriu lisonjeado a essa deslocada insinuação; e, entrando no gabinete particular do major, foi sem mais preâmbulo ao fim da entrevista; pediu-lhe a filha em casamento. O major quis resguardar um pouco a dignidade paterna; mas era impossível. Sua alegria foi uma explosão.

— Minha filha! — bradou ele. — Mas... minha filha... ora essa... pois não!... Minha filha!

E abria os braços e apertava com eles o jovem candidato, que, um pouco admirado do próprio atrevimento, chegou a perder o uso da voz. Mas a voz era, aliás, inútil, ao menos durante o primeiro quarto de hora, em que só falou o ambiciado sogro, com uma volubilidade sem limites. Cansou enfim, mas de um modo cruel.

— Velhacos! — disse ele. — Com que então... amam-se às escondidas...

— Eu?

— Pois quem?

— Peço-lhe perdão — disse Luís Bastinhos. — Mas não sei... não tenho certeza...

— Quê! Não se correspondem?...

— Não me tenho atrevido...

O major abanou a cabeça com certo ar de irritação e lástima; pegou-lhe das mãos e fitou-o durante alguns segundos.

— Tu és afinal de contas um pandorga, sim, um pandorga — disse ele, largando-lhe as mãos.

Mas o gosto de os ver casados era tal, e tal a alegria daquele dia de anos, que o major sentiu a lástima converter-se em entusiasmo, a irritação em gosto, e tudo acabou em boas promessas.

— Pois digo-te, que te hás de casar — concluiu ele. — Marcelina é um anjo, tu outro, eu outro; tudo indica que nos devemos ligar por laços mais doces do que as simples relações da vida. Juro-te que serás o pai de meus netos...

Jurava mal o major, porque daí a meia hora, quando ele chamou a filha ao gabinete, e lhe comunicou o pedido, recebeu desta a mais formal recusa; e por que insistisse em querer concedê-la ao rapaz, disse-lhe a moça que despediria o pretendente em plena sala, se lhe falassem mais em semelhante absurdo. Caldas que conhecia a filha não disse mais nada. Quando o pretendente lhe perguntou, daí a pouco, se devia considerar-se feliz, ele usou um expediente assaz enigmático: piscou-lhe o olho. Luís Bastinhos ficou radiante; ergueu-se às nuvens nas asas da felicidade.

Durou pouco a felicidade; Marcelina não correspondia às promessas do major. Três ou quatro vezes chegara-se a ela Luís Bastinhos, com uma frase piegas na ponta da língua, e vira-se obrigado a engoli-la outra vez, porque a recepção de Marcelina não animava mais. Irritado, foi sentar-se ao canto de uma janela, com os olhos na lua, que estava esplêndida, uma verdadeira nesga de romantismo. Ali fez mil projetos trágicos, o suicídio, o assassinato, o incêndio, a revolução, a conflagração dos elementos; ali jurou que se vingaria de um modo exemplar. Como então soprasse uma brisa fresca, e ele a recebesse em primeira mão, à janela, acalmaram-se-lhe as ideias fúnebres e sanguíneas, e apenas lhe ficou um desejo de vingança de sala. Qual? Não sabia qual fosse; mas trouxe-lha enfim uma sobrinha do major.

– Não dança? – perguntou ela a Luís Bastinhos.
– Eu?
– O senhor.
– Pois não, minha senhora. – Levantou-se e deu-lhe o braço.
– De maneira que – disse ela – já agora são as moças que tiram os homens para dançar?
– Oh! Não! – protestou ele. – As moças apenas ordenam aos homens o que devem fazer; e o homem que está no seu papel obedece sem discrepar.
– Mesmo sem vontade? – perguntou a prima de Marcelina.
– Quem é que neste mundo pode não ter vontade de obedecer a uma dama? – disse Luís Bastinhos com o seu ar mais piegas.

Estava em pleno madrigal; iriam longe, porque a moça era das que saboreiam esse gênero de palestra. Entretanto, tinham dado o braço, e passeavam ao longo da sala, à espera da valsa, que se ia tocar. Deu sinal a valsa, os pares saíram, e começou o turbilhão.

Não tardou muito que a sobrinha do major compreendesse que estava abraçada a um valsista emérito, a um verdadeiro modelo de valsistas. Que delicadeza! Que segurança! Que acerto de passos! Ela, que também valsava com muita regularidade e graça, entregou-se toda ao parceiro. E ei-los unidos, a voltarem rapidamente, leves como duas plumas, sem perder um compasso, sem discrepar uma linha. Pouco a pouco, esvaziando-se a arena, iam sendo os dois objeto exclusivo da atenção de todos. Não tardou que ficassem sós; e foi então que o sucesso se formou decisivo e lisonjeiro. Eles giravam e sentiam que eram o alvo da admiração geral; e ao senti-lo, criavam forças novas, e não cediam o campo a nenhum outro. Pararam com a música.

– Quer tomar alguma coisa? – perguntou Luís Bastinhos com a mais adocicada de suas entonações.

A moça aceitou um pouco de água; e enquanto andavam elogiavam um ao outro, com o maior calor do mundo. Nenhum desses elogios, porém, chegou ao do major, quando daí a pouco encontrou Luís Bastinhos.

– Pois você estava com isso guardado! – disse ele.

— Isso quê?

— Isso... esse talento que Deus concedeu a poucos... a bem raros. Sim, senhor; pode crer que é o rei da minha festa.

E apertou-lhe muito as mãos, piscando o olho. Luís Bastinhos tinha já perdido toda a fé naquele jeito peculiar do major; recebeu-o com frieza. O sucesso entretanto fora grande; ele o sentiu nos olhares sorrateiros dos outros rapazes, nos gestos de desdém que eles faziam; foi a consagração última.

— Com que então, só minha prima é que mereceu uma valsa!

Luís Bastinhos estremeceu, ao ouvir esta palavra; voltou-se; deu com os olhos em Marcelina. A moça repetiu o dito, batendo-lhe com o leque no braço. Ele murmurou algumas palavras, que a história não conservou, aliás deviam ser notáveis, porque ele ficou vermelho como uma pitanga. Essa cor ainda se tornou mais viva, quando a moça, enfiando-lhe o braço, disse resolutamente:

— Vamos a esta valsa...

Tremia o rapaz de comoção; pareceu-lhe ver nos olhos da moça todas as promessas da bem-aventurança; entrou a compreender os piscados do major.

— Então? — disse Marcelina.

— Vamos.

— Ou está cansado?

— Eu? Que ideia. Não, não, não estou cansado.

A outra valsa fora um primor; esta foi classificada entre os milagres. Os amadores confessaram francamente que nunca tinham visto um valsador como Luís Bastinhos. Era o impossível realizado; seria a pura arte dos arcanjos, se os arcanjos valsassem. Os mais invejosos tiveram de ceder alguma coisa à opinião da sala. O major chegou às raias do delírio.

— Que me dizem a este rapaz? — bradou ele a uma roda de senhoras. — Ele faz tudo: nada como um peixe e valsa como um pião. Salvou-me a filha para valsar com ela.

Marcelina não ouviu estas palavras do pai, ou perdoou-lhas. Estava toda entregue à admiração. Luís Bastinhos era até ali o melhor valsista que encontrara. Ela tinha vaidade e reputação de valsar bem; e achar um parceiro de tal força era a maior fortuna que podia acontecer a uma valsista. Disse-lho ela mesma, não sei se com a boca, se com os olhos, e ele repetiu-lhe a mesma ideia, e foram ratificar daí a pouco as suas impressões numa segunda valsa. Foi outro e maior sucesso.

Parece que Marcelina valsou ainda uma vez com Luís Bastinhos, mas em sonhos, uma valsa interminável, numa planície, ao som de uma orquestra de

diabos azuis e invisíveis. Foi assim que ela referiu o sonho, no dia seguinte, ao pai.
— Já sei — disse este —; esses diabos azuis e invisíveis deviam ser dois.
— Dois?
— Um padre e um sacristão...
— Ora, papai!

E foi um protesto tão gracioso, que o Luís Bastinhos, se o ouvisse e visse, mui provavelmente pediria repetição. Mas nem viu nem soube dele. De noite, indo lá, recebeu novos louvores, falaram do baile da véspera. O major confessou que era o melhor baile do ano; e dizendo-lhe a mesma coisa o Luís Bastinhos, declarou o major que o salvador da filha reunia o bom gosto ao talento coreográfico.

— Mas por que não dá outra brincadeira, um pouco mais familiar? — disse o Luís Bastinhos.

O major piscou o olho e adotou a ideia. Marcelina exigiu de Luís Bastinhos que dançasse com ela a primeira valsa.
— Todas — disse ele.
— Todas?
— Juro-lhe que todas.

Marcelina abaixou os olhos e lembrou-se dos diabos azuis e invisíveis. Veio a noite da "brincadeira", e Luís Bastinhos cumpriu a promessa; valsaram ambos todas as valsas. Era quase um escândalo. A convicção geral é que o casamento estava próximo.

Alguns dias depois, o major deu com os dois numa sala, ao pé de uma mesa, a folhearem um livro; um livro ou as mãos, porque as mãos de um e de outro estavam sobre o livro, juntas, e apertadas. Parece que também folheavam os olhos, com tanta atenção que não viram o major. O major quis sair, mas preferiu precipitar a situação.

— Então que é isso? Estão valsando sem música?

Estremeceram os dois e coraram muito, mas o major piscou o olho, e saiu. Luís Bastinhos aproveitou a circunstância para dizer à moça que o casamento era a verdadeira valsa social; ideia que ela aprovou e comunicou ao pai.

— Sim — disse este —, a melhor Terpsícore é Himeneu.

Celebrou-se o casamento daí a dois meses. O Pimentel, que serviu de padrinho ao noivo, disse-lhe na igreja, que em certos casos era melhor valsar que nadar, e que a verdadeira chave do coração de Marcelina não era a gratidão mas a coreografia. Luís Bastinhos abanou a cabeça sorrindo; o major, supondo que eles o elogiavam em voz baixa, piscou o olho.

A IGREJA DO DIABO

CAPÍTULO I
De uma ideia mirífica

CONTA UM VELHO manuscrito beneditino que o Diabo, em certo dia, teve a ideia de fundar uma igreja. Embora os seus lucros fossem contínuos e grandes, sentia-se humilhado com o papel avulso que exercia desde séculos, sem organização, sem regras, sem cânones, sem ritual, sem nada. Vivia, por assim dizer, dos remanescentes divinos, dos descuidos e obséquios humanos. Nada fixo, nada regular. Por que não teria ele a sua igreja? Uma igreja do Diabo era o meio eficaz de combater as outras religiões, e destruí-las de uma vez.

— Vá, pois, uma igreja — concluiu ele. — Escritura contra Escritura, breviário contra breviário. Terei a minha missa, com vinho e pão à farta, as minhas prédicas, bulas, novenas e todo o demais aparelho eclesiástico. O meu credo será o núcleo universal dos espíritos, a minha igreja uma tenda de Abraão. E depois, enquanto as outras religiões se combatem e se dividem, a minha igreja será única; não acharei diante de mim, nem Maomé, nem Lutero. Há muitos modos de afirmar; há só um de negar tudo.

Dizendo isto, o Diabo sacudiu a cabeça e estendeu os braços, com um gesto magnífico e varonil. Em seguida, lembrou-se de ir ter com Deus para comunicar-lhe a ideia, e desafiá-lo; levantou os olhos, acesos de ódio, ásperos de vingança, e disse consigo:

— Vamos, é tempo. — E rápido, batendo as asas, com tal estrondo que abalou todas as províncias do abismo, arrancou da sombra para o infinito azul.

CAPÍTULO II
Entre Deus e o Diabo

Deus recolhia um ancião, quando o Diabo chegou ao céu. Os serafins que engrinaldavam o recém-chegado, detiveram-se logo, e o Diabo deixou-se estar à entrada com os olhos no Senhor.

— Que me queres tu? — perguntou este.
— Não venho pelo vosso servo Fausto — respondeu o Diabo rindo —, mas por todos os Faustos do século e dos séculos.
— Explica-te.
— Senhor, a explicação é fácil; mas permiti que vos diga: recolhei primeiro esse bom velho; dai-lhe o melhor lugar, mandai que as mais afinadas cítaras e alaúdes o recebam com os mais divinos coros...
— Sabes o que ele fez? — perguntou o Senhor, com os olhos cheios de doçura.
— Não, mas provavelmente é dos últimos que virão ter convosco. Não tarda muito que o céu fique semelhante a uma casa vazia, por causa do preço, que é alto. Vou edificar uma hospedaria barata; em duas palavras, vou fundar uma igreja. Estou cansado da minha desorganização, do meu reinado casual e adventício. É tempo de obter a vitória final e completa. E então vim dizer-vos isto, com lealdade, para que me não acuseis de dissimulação... Boa ideia, não vos parece?
— Vieste dizê-la, não legitimá-la — advertiu o Senhor.
— Tendes razão — acudiu o Diabo —, mas o amor-próprio gosta de ouvir o aplauso dos mestres. Verdade é que neste caso seria o aplauso de um mestre vencido, e uma tal exigência... Senhor, desço à terra; vou lançar a minha pedra fundamental.
— Vai.
— Quereis que venha anunciar-vos o remate da obra?
— Não é preciso; basta que me digas desde já por que motivo, cansado há tanto da tua desorganização, só agora pensaste em fundar uma igreja.
O Diabo sorriu com certo ar de escárnio e triunfo. Tinha alguma ideia cruel no espírito, algum reparo picante no alforje de memória, qualquer coisa que, nesse breve instante de eternidade, o fazia crer superior ao próprio Deus. Mas recolheu o riso, e disse:
— Só agora concluí uma observação, começada desde alguns séculos, e é que as virtudes, filhas do céu, são em grande número comparáveis a rainhas, cujo manto de veludo rematasse em franjas de algodão. Ora, eu proponho-me a puxá-las por essa franja, e trazê-las todas para minha igreja; atrás delas virão as de seda pura...
— Velho retórico! — murmurou o Senhor.
— Olhai bem. Muitos corpos que ajoelham aos vossos pés, nos templos do mundo, trazem as anquinhas da sala e da rua, os rostos tingem-se do mesmo pó, os lenços cheiram aos mesmos cheiros, as pupilas centelham de curiosidade e devoção entre o livro santo e o bigode do pecado. Vede o ardor, a indiferença ao menos, com que esse cavalheiro põe em letras públicas os

benefícios que liberalmente espalha, ou sejam roupas ou botas, ou moedas, ou quaisquer dessas matérias necessárias à vida... Mas não quero parecer que me detenho em coisas miúdas; não falo, por exemplo, da placidez com que este juiz de irmandade, nas procissões, carrega piedosamente ao peito o vosso amor e uma comenda... Vou a negócios mais altos...

Nisto os serafins agitaram as asas pesadas de fastio e sono. Miguel e Gabriel fitaram no Senhor um olhar de súplica. Deus interrompeu o Diabo.

– Tu és vulgar, que é o pior que pode acontecer a um espírito da tua espécie – replicou-lhe o Senhor. – Tudo o que dizes ou digas está dito e redito pelos moralistas do mundo. É assunto gasto; e se não tens força, nem originalidade para renovar um assunto gasto, melhor é que te cales e te retires. Olha; todas as minhas legiões mostram no rosto os sinais vivos do tédio que lhes dás. Esse mesmo ancião parece enjoado; e sabes tu o que ele fez?

– Já vos disse que não.

– Depois de uma vida honesta, teve uma morte sublime. Colhido em um naufrágio, ia salvar-se numa tábua; mas viu um casal de noivos, na flor da vida, que se debatiam já com a morte; deu-lhes a tábua de salvação e mergulhou na eternidade. Nenhum público: a água e o céu por cima. Onde achas aí a franja de algodão?

– Senhor, eu sou, como sabeis, o espírito que nega.

– Negas esta morte?

– Nego tudo. A misantropia pode tomar aspecto de caridade; deixar a vida aos outros, para um misantropo, é realmente aborrecê-los...

– Retórico e sutil! – exclamou o Senhor. Vai, vai, funda a tua igreja; chama todas as virtudes, recolhe todas as franjas, convoca todos os homens... Mas, vai! Vai!

Debalde o Diabo tentou proferir alguma coisa mais. Deus impusera-lhe silêncio; os serafins, a um sinal divino, encheram o céu com as harmonias de seus cânticos. O Diabo sentiu, de repente, que se achava no ar; dobrou as asas, e, como um raio, caiu na terra.

CAPÍTULO III
A boa-nova aos homens

Uma vez na terra, o Diabo não perdeu um minuto. Deu-se pressa em enfiar a cogula beneditina, como hábito de boa fama, e entrou a espalhar uma doutrina nova e extraordinária, com uma voz que reboava nas entranhas do século. Ele prometia aos seus discípulos e fiéis as delícias da terra, todas as glórias, os deleites mais íntimos. Confessava que era o Diabo; mas confessava-o para retificar a noção que os homens tinham dele e desmentir as histórias que a seu respeito contavam as velhas beatas.

— Sim, sou o Diabo — repetia ele —; não o Diabo das noites sulfúreas, dos contos soníferos, terror das crianças, mas o Diabo verdadeiro e único, o próprio gênio da natureza, a que se deu aquele nome para arredá-lo do coração dos homens. Vede-me gentil e airoso. Sou o vosso verdadeiro pai. Vamos lá: tomai daquele nome, inventado para meu desdouro, fazei dele um troféu e um lábaro, e eu vos darei tudo, tudo, tudo, tudo, tudo, tudo...

Era assim que falava, a princípio, para excitar o entusiasmo, espertar os indiferentes, congregar, em suma, as multidões ao pé de si. E elas vieram; e logo que vieram, o Diabo passou a definir a doutrina. A doutrina era a que podia ser na boca de um espírito de negação. Isso quanto à substância, porque, acerca da forma, era umas vezes sutil, outras cínica e deslavada.

Clamava ele que as virtudes aceitas deviam ser substituídas por outras, que eram as naturais e legítimas. A soberba, a luxúria, a preguiça foram reabilitadas, e assim também a avareza, que declarou não ser mais do que a mãe da economia, com a diferença que a mãe era robusta, e a filha uma esgalgada. A ira tinha a melhor defesa na existência de Homero; sem o furor de Aquiles, não haveria a Ilíada: "Musa, canta a cólera de Aquiles, filho de Peleu...". O mesmo disse da gula, que produziu as melhores páginas de Rabelais, e muitos bons versos de Hissope; virtude tão superior, que ninguém se lembra das batalhas de Luculo, mas das suas ceias; foi a gula que realmente o fez imortal. Mas, ainda pondo de lado essas razões de ordem literária ou histórica, para só mostrar o valor intrínseco daquela virtude, quem negaria que era muito melhor sentir na boca e no ventre os bons manjares, em grande cópia, do que os maus bocados, ou a saliva do jejum? Pela sua parte o Diabo prometia substituir a vinha do Senhor, expressão metafórica, pela vinha do Diabo, locução direta e verdadeira, pois não faltaria nunca aos seus com o fruto das mais belas cepas do mundo. Quanto à inveja, pregou friamente que era a virtude principal, origem de propriedades infinitas; virtude preciosa, que chegava a suprir todas as outras, e ao próprio talento.

As turbas corriam atrás dele entusiasmadas. O Diabo incutia-lhes, a grandes golpes de eloquência, toda a nova ordem de coisas, trocando a noção delas, fazendo amar as perversas e detestar as sãs.

Nada mais curioso, por exemplo, do que a definição que ele dava da fraude. Chamava-lhe o braço esquerdo do homem; o braço direito era a força; e concluía: Muitos homens são canhotos, eis tudo. Ora, ele não exigia que todos fossem canhotos; não era exclusivista. Que uns fossem canhotos, outros destros; aceitava a todos, menos os que não fossem nada. A demonstração, porém, mais rigorosa e profunda, foi a da venalidade. Um casuísta do tempo chegou a confessar que era um monumento de lógica. A venalidade, disse o Diabo, era o exercício de um direito superior a todos os direitos. Se tu podes vender a tua casa, o teu boi, o teu sapato, o teu chapéu, coisas que são tuas por uma razão jurídica e legal, mas que, em todo caso, estão fora de ti, como é que não podes vender a tua opinião, o teu voto, a tua palavra, a tua fé, coisas que são mais do que tuas, porque são a tua própria consciência, isto é, tu mesmo? Negá-lo é cair no absurdo e no contraditório. Pois não há mulheres que vendem os cabelos? Não pode um homem vender uma parte do seu sangue para transfundi-lo a outro homem anêmico? E o sangue e os cabelos, partes físicas, terão um privilégio que se nega ao caráter, à porção moral do homem? Demonstrado assim o princípio, o Diabo não se demorou em expor as vantagens de ordem temporal ou pecuniária; depois, mostrou ainda que, à vista do preconceito social, conviria dissimular o exercício de um direito tão legítimo, o que era exercer ao mesmo tempo a venalidade e a hipocrisia, isto é, merecer duplicadamente.

E descia, e subia, examinava tudo, retificava tudo. Está claro que combateu o perdão das injúrias e outras máximas de brandura e cordialidade. Não proibiu formalmente a calúnia gratuita, mas induziu a exercê-la mediante retribuição, ou pecuniária, ou de outra espécie; nos casos, porém, em que ela fosse uma expansão imperiosa da força imaginativa, e nada mais, proibia receber nenhum salário, pois equivalia a fazer pagar a transpiração. Todas as formas de respeito foram condenadas por ele, como elementos possíveis de um certo decoro social e pessoal; salva, todavia, a única exceção do interesse. Mas essa mesma exceção foi logo eliminada, pela consideração de que o interesse, convertendo o respeito em simples adulação, era este o sentimento aplicado e não aquele.

Para rematar a obra, entendeu o Diabo que lhe cumpria cortar por toda a solidariedade humana. Com efeito, o amor do próximo era um obstáculo grave à nova instituição. Ele mostrou que essa regra era uma simples invenção de parasitas e negociantes insolváveis; não se devia dar ao próximo senão indiferença; em alguns casos, ódio ou desprezo. Chegou mesmo à demonstração de que a noção de próximo era errada, e citava esta frase de um padre de Nápoles, aquele fino e letrado Galiani, que escrevia a uma das marquesas do antigo regime: "Leve a breca o próximo! Não há próximo!". A única hipótese em que ele permitia amar ao próximo era quando se tratasse de amar as damas alheias, porque essa espécie de amor tinha a particularidade de não ser outra coisa mais do que o amor do indivíduo a si mesmo. E como alguns discípulos achassem que uma tal explicação, por metafísica, escapava à compreensão das turbas, o Diabo recorreu a um apólogo:

– Cem pessoas tomam ações de um banco, para as operações comuns; mas cada acionista não cuida realmente senão nos seus dividendos: é o que acontece aos adúlteros. – Este apólogo foi incluído no livro da sabedoria.

CAPÍTULO IV
Franjas e franjas

A previsão do Diabo verificou-se. Todas as virtudes cuja capa de veludo acabava em franja de algodão, uma vez puxadas pela franja, deitavam a capa às urtigas e vinham alistar-se na igreja nova. Atrás foram chegando as outras, e o tempo abençoou a instituição. A igreja fundara-se; a doutrina propagava-se; não havia uma região do globo que não a conhecesse, uma língua que não a traduzisse, uma raça que não a amasse. O Diabo alçou brados de triunfo.

Um dia, porém, longos anos depois notou o Diabo que muitos dos seus fiéis, às escondidas, praticavam as antigas virtudes. Não as praticavam todas, nem integralmente, mas algumas, por partes, e, como digo, às ocultas. Certos glutões recolhiam-se a comer frugalmente três ou quatro vezes por ano, justamente em dias de preceito católico; muitos avaros davam esmolas, à noite, ou nas ruas mal povoadas; vários dilapidadores do erário restituíam-lhe pequenas quantias; os fraudulentos falavam, uma ou outra vez, com o coração nas mãos, mas com o mesmo rosto dissimulado, para fazer crer que estavam embaçando os outros.

A descoberta assombrou o Diabo. Meteu-se a conhecer mais diretamente o mal, e viu que lavrava muito. Alguns casos eram até incompreensíveis, como o de um droguista do Levante, que envenenara longamente uma geração inteira, e, com o produto das drogas, socorria os filhos das vítimas. No Cairo achou um perfeito ladrão de camelos, que tapava a cara para ir às mesquitas. O Diabo deu com ele à entrada de uma, lançou-lhe em rosto o procedimento; ele negou, dizendo que ia ali roubar o camelo de um drogomano; roubou-o, com efeito, à vista do Diabo e foi dá-lo de presente a um muezim, que rezou por ele a Alá. O manuscrito beneditino cita muitas outras descobertas extraordinárias, entre elas esta, que desorientou completamente o Diabo. Um dos seus melhores apóstolos era um calabrês, varão de cinquenta anos, insigne falsificador de documentos, que possuía uma bela casa na campanha romana, telas, estátuas, biblioteca, etc. Era a fraude em pessoa; chegava a meter-se na cama para não confessar que estava são. Pois esse homem, não só não furtava ao jogo, como ainda dava gratificações aos criados. Tendo angariado a amizade de um cônego, ia todas as semanas confessar-se com ele, numa capela solitária; e, conquanto não lhe desvendasse nenhuma das suas ações secretas, benzia-se duas vezes, ao ajoelhar-se, e ao levantar-se. O Diabo mal pôde crer tamanha aleivosia. Mas não havia que duvidar; o caso era verdadeiro.

Não se deteve um instante. O pasmo não lhe deu tempo de refletir, comparar e concluir do espetáculo presente alguma coisa análoga ao passado. Voou de novo ao céu, trêmulo de raiva, ansioso de conhecer a causa secreta de tão singular fenômeno. Deus ouviu-o com infinita complacência; não o interrompeu, não o repreendeu, não triunfou, sequer, daquela agonia satânica. Pôs os olhos nele, e disse-lhe:

— Que queres tu, meu pobre Diabo? As capas de algodão têm agora franjas de seda, como as de veludo tiveram franjas de algodão. Que queres tu? É a eterna contradição humana.

A MULHER DE PRETO

CAPÍTULO I

A primeira vez que o doutor Estêvão Soares falou ao deputado Meneses foi no Teatro Lírico no tempo da memorável luta entre *lagruístas* e *chartonistas*. Um amigo comum os apresentou ao outro. No fim da noite separaram-se oferecendo cada um deles os seus serviços e trocando os respectivos cartões de visita.

Só dois meses depois encontraram-se outra vez.

Estêvão Soares teve de ir à casa de um ministro de Estado para saber de uns papéis relativos a um parente da província, e aí encontrou o deputado Meneses, que acabava de ter uma conferência política.

Houve sincero prazer em ambos encontrando-se pela segunda vez; e Meneses arrancou de Estêvão a promessa de que iria à casa dele daí a poucos dias.

O ministro depressa despachou o jovem médico.

Chegando ao corredor, Estêvão foi surpreendido com uma tremenda bátega d'água, que nesse momento caía, e começava a alagar a rua.

O rapaz olhou a um e outro lado a ver se passava algum veículo vazio, mas procurou inutilmente; todos que passavam iam ocupados.

Apenas à porta estava um *coupé* vazio à espera de alguém, que o rapaz supôs ser o deputado.

Daí a alguns minutos desce com efeito o representante da nação, e admirou-se de ver o médico ainda à porta.

– Que quer? – disse-lhe Estêvão. – A chuva impediu-me de sair; aqui fiquei a ver se passa um tílburi.

– É natural que não passe, e nesse caso ofereço-lhe um lugar no meu *coupé*. Venha.

– Perdão; mas é um incômodo...

– Ora, incômodo! É um prazer. Vou deixá-lo em casa. Onde mora?

— Rua da Misericórdia, número...
— Bem, suba.

Estêvão hesitou um pouco mas não podia deixar de subir sem ofender o digno homem que de tão boa vontade lhe fazia um obséquio.

Subiram.

Mas em vez de mandar o cocheiro para a Rua da Misericórdia, o deputado gritou:

— João, para casa! — E entrou.

Estêvão olhou para ele admirado.

— Já sei — disse-lhe Meneses. — Admira-se de ver que faltei à minha palavra; mas eu desejo apenas que fique conhecendo a minha casa a fim de lá voltar quanto antes.

O *coupé* rolava já pela rua fora debaixo de uma chuva torrencial. Meneses foi o primeiro que rompeu o silêncio de alguns minutos, dizendo ao jovem amigo:

— Espero que o romance da nossa amizade não termine no primeiro capítulo.

Estêvão, que já reparara nas maneiras solícitas do deputado, ficou inteiramente pasmado quando lhe ouviu falar no romance da amizade. A razão era simples. O amigo que os havia apresentado no Teatro Lírico disse no dia seguinte:

— Meneses é um misantropo, e um cético; não crê em nada nem estima ninguém. Na política como na sociedade faz um papel puramente negativo.

Esta era a impressão com que Estêvão, apesar da simpatia que o arrastava, falou a segunda vez a Meneses, e admirava-se de tudo, das maneiras, das palavras, e do tom de afeto que elas pareciam revelar.

À linguagem do deputado o jovem médico respondeu com igual franqueza.

— Por que acabaremos no primeiro capítulo? — perguntou ele; um amigo não é coisa que se despreze, acolhe-se como um presente dos deuses.

— Dos deuses! — disse Meneses rindo; já vejo que é pagão.

— Alguma coisa, é verdade; mas no bom sentido — respondeu Estêvão rindo também. — Minha vida assemelha-se um pouco à de Ulisses...

— Tem ao menos uma Ítaca, sua pátria, e uma Penélope, sua esposa.

— Nem uma nem outra.

— Então entender-nos-emos.

Dizendo isto o deputado voltou a cara para o outro lado, vendo a chuva que caía na vidraça da portinhola.

Decorreram dois ou três minutos, durante os quais Estêvão teve tempo de contemplar a seu gosto o companheiro de viagem.

Meneses voltou-se e entrou em novo assunto.
Quando o *coupé* entrou na Rua do Lavradio, Meneses disse ao médico:
– Moro nesta rua; estamos perto de casa. Promete-me que há de vir ver-me algumas vezes?
– Amanhã mesmo.
– Bem. Como vai a sua clínica?
– Apenas começo – disse Estêvão. – Trabalho pouco; mas espero fazer alguma coisa.
– O seu companheiro, na noite em que mo apresentou, disse-me que o senhor é moço de muito merecimento.
– Tenho vontade de fazer alguma coisa.
Daí a dez minutos parava o *coupé* à porta de uma casa da Rua do Lavradio. Apearam-se os dois e subiram.
Meneses mostrou a Estêvão o seu gabinete de trabalho, onde haviam duas longas estantes de livros.
– É a minha família – disse o deputado mostrando os livros. – História, filosofia, poesia... e alguns livros de política. Aqui estudo e trabalho. Quando cá vier é aqui que o hei de receber.
Estêvão prometeu voltar no dia seguinte, e desceu para entrar no *coupé* que esperava por ele, e que o levou à Rua da Misericórdia.
Entrando em casa, Estêvão dizia consigo:
"Onde está a misantropia daquele homem? As maneiras de misantropo são mais rudes do que as dele; salvo se ele, mais feliz do que Diógenes, achou em mim o homem que procurava."

CAPÍTULO II

Estêvão era o tipo do rapaz sério. Tinha talento, ambição e vontade de saber, três armas poderosas nas mãos de um homem que tenha consciência de si. Desde os dezesseis anos a sua vida foi um estudo constante, aturado e profundo. Destinado ao curso médico, Estêvão entrou na academia um pouco forçado, não queria desobedecer ao pai. A sua vocação era toda para as matemáticas. Que importa? disse ele ao saber da resolução paterna; estudarei a medicina e a matemática. Com efeito teve tempo para uma e outra coisa; teve tempo ainda para estudar a literatura, e as principais obras da antiguidade e contemporâneas eram-lhe tão familiares como os tratados de operações e de higiene.
Para estudar tanto, foi-lhe preciso sacrificar uma parte da saúde. Estêvão aos vinte e quatro anos adquirira uma magreza, que não era a dos dezesseis;

tinha a tez pálida e a cabeça pendia-lhe um pouco para a frente pelo longo hábito da leitura. Mas esses vestígios de uma longa aplicação intelectual não lhe alteraram a regularidade e harmonia das feições, nem os olhos perderam nos livros o brilho e a expressão. Era além disso naturalmente elegante, não digo enfeitado, que é coisa diferente: era elegante nas maneiras, na atitude, no sorriso, no trajo, tudo mesclado de uma certa severidade que era o cunho do seu caráter. Podia-se notar-lhe muitas infrações ao código da moda; ninguém poderia dizer que ele faltasse nunca às boas regras do *gentleman*.

Perdera os pais aos vinte anos, mas ficara-lhe bastante juízo para continuar sozinho a viagem do mundo. O estudo serviu-lhe de refúgio e bordão. Não sabia nada do que era o amor. Ocupara-se tanto com a cabeça que esquecera-se de que tinha um coração dentro do peito. Não se infira daqui que Estêvão fosse puramente um positivista. Pelo contrário, a alma dele possuía ainda em toda a plenitude da graça e da força as duas asas que a natureza lhe dera.

Não raras vezes rompia ela do cárcere da carne para ir correr os espaços do céu, em busca de não sei que ideal mal definido, obscuro, incerto. Quando voltava desses êxtases, Estêvão curava-se deles enterrando-se nos volumes à cata de uma verdade científica. Newton era-lhe o antídoto de Goethe.

Além disso, Estêvão tinha ideias singulares. Havia um padre, amigo dele, rapaz de trinta anos, da escola de Fénelon, que entrava com Telêmaco na ilha de Calipso. Ora, o padre dizia muitas vezes a Estêvão que só uma coisa lhe faltava para ser completo: era casar-se.

— Quando você tiver — dizia-lhe — uma mulher amada e amante ao pé de si, será um homem feliz e completo. Dividirá então o tempo entre as duas coisas mais elevadas que a natureza deu ao homem, a inteligência e o coração. Nesse dia quero eu mesmo casá-lo...

— Padre Luís — respondia Estêvão — faça-me então o serviço completo: traga-me a mulher e a bênção.

O padre sorria-se ao ouvir a resposta do médico, e como o sorriso parecia a Estêvão uma nova pergunta, o médico continuava:

— Se encontrar uma mulher tão completa como eu exijo, afirmo-lhe que me casarei. Dirá que as obras humanas são imperfeitas, e eu não contestarei, Padre Luís; mas nesse caso deixe-me caminhar só com as minhas imperfeições.

Daqui engendrava-se sempre uma discussão, que se animava e crescia até o ponto em que Estêvão concluía por este modo:

— Padre Luís, uma menina que deixa as bonecas para ir decorar mecanicamente alguns livros mal escolhidos; que interrompe uma lição para ouvir contar uma cena de namoro; que em matéria de arte só conhece os figurinos parisienses; que deixa as calças para entrar no baile, e que antes de suspirar por um homem, examina-lhe a correção da gravata, e o apertado do botim; Padre Luís, esta menina pode vir a ser um esplêndido ornamento de salão e até uma fecunda mãe de família, mas nunca será uma mulher.

Esta sentença de Estêvão tinha o defeito de certas regras absolutas. Por isso, o padre dizia-lhe sempre:

— Tem você razão; mas eu não lhe digo que case com a regra; procure a exceção que há de encontrar e leve-a ao altar, onde eu estarei para os unir.

Tais eram os sentimentos de Estêvão em relação ao amor e à mulher. A natureza dera-lhe em parte esses sentimentos, mas em parte adquiriu-os ele nos livros. Exigia a perfeição intelectual e moral de uma Heloísa; e partia da exceção para estabelecer uma regra. Era intolerante para os erros veniais. Não os reconhecia como tais. Não há erro venial, dizia ele, em matéria de costumes e de amor.

Contribuíra para esta rigidez de ânimo o espetáculo da própria família de Estêvão. Até aos vinte anos foi ele testemunha do que era a santidade do amor mantido pela virtude doméstica. Sua mãe, que morrera com trinta e oito anos, amou o marido até os últimos dias, e poucos meses lhe sobreviveu. Estêvão soube que fora ardente e entusiástico o amor de seus pais, na estação do noivado, durante a manhã conjugal; conheceu-o assim por tradição; mas na tarde conjugal a que ele assistiu viu o amor calmo, solícito e confiante, cheio de dedicação e respeito, praticado como um culto; sem recriminações nem pesares, e tão profundo como no primeiro dia. Os pais de Estêvão morreram amados e felizes na tranquila seriedade do dever.

No ânimo de Estêvão, o amor que funda a família devia ser aquilo ou não seria nada. Era justiça; mas a intolerância de Estêvão começava na convicção que ele tinha de que com a dele morrera a última família, e fora com ela a derradeira tradição do amor. Que era preciso para derrubar todo este sistema, ainda que momentâneo? Uma coisa pequeníssima: um sorriso e dois olhos.

Mas como esses dois olhos não apareciam, Estêvão entregava-se na maior parte do tempo aos seus estudos científicos, empregando as horas vagas em algumas distrações que o não prendiam por muito tempo.

Morava só; tinha um escravo, da mesma idade que ele, e cria da casa do pai, mais irmão do que escravo, na dedicação e no afeto. Recebia alguns amigos, a quem visitava de quando em quando, entre os quais incluímos o jovem Padre Luís, a quem Estêvão chamava Platão de sotaina.

Naturalmente bom e afetuoso, generoso e cavalheiresco, sem ódios nem rancores, entusiasta por todas as coisas boas e verdadeiras, tal era o doutor Estêvão Soares, aos vinte e quatro anos de idade.

Do seu retrato físico já dissemos alguma coisa. Bastará acrescentar que tinha uma bela cabeça, coberta de bastos cabelos castanhos, dois olhos da mesma cor, vivos e observadores; a palidez do rosto fazia realçar o bigode naturalmente encaracolado. Era alto e tinha mãos admiráveis.

CAPÍTULO III

Estêvão Soares visitou Meneses no dia seguinte.

O deputado esperava-o, e recebeu-o como se fosse um amigo velho. Estêvão marcara a hora da visita, que impossibilitava a presença de Meneses na Câmara; mas o deputado importou-se pouco com isso: não foi à Câmara. Mas teve a delicadeza de o não dizer a Estêvão.

Meneses estava no gabinete quando o criado anunciou-lhe a chegada do médico. Foi recebê-lo à porta.

— Pontual como um rei — disse-lhe alegremente.

— Era dever. Lembro-lhe que não me esqueci.

— E agradeço-lho. Sentaram-se os dois.

— Agradeço-lhe porque eu receava sobretudo que me houvesse compreendido mal; e que os impulsos da minha simpatia não merecessem da sua parte nenhuma consideração...

Estêvão ia protestar

— Perdão — continuou Meneses —, bem vejo que me enganei, e é por isso que lhe agradeço. Eu não sou rapaz; tenho quarenta e sete anos; e para a sua idade as relações de um homem como eu já não têm valor.

— A velhice, quando é respeitável, deve ser respeitada; e amadas quando é amável. Mas Vossa Excelência não é velho; tem os cabelos apenas grisalhos: pode-se dizer que está na segunda mocidade.

— Parece-lhe isso...

— Parece e é.

— Seja como for — disse Meneses — a verdade é que podemos ser amigos. Quantos anos tem?

— Olhe lá, podia ser meu filho. Tem seus pais vivos?

— Morreram há quatro anos.

— Lembra-me haver dito que era solteiro...

— De maneira que os seus cuidados são todos para a ciência?

— É a minha esposa.

— Sim, a sua esposa intelectual; mas essa não basta a um homem como o senhor... Enfim, isso é com o tempo; está ainda moço.

Durante este diálogo, Estêvão contemplava e observava Meneses, em cujo rosto batia a claridade que entrava por uma das janelas. Era uma cabeça severa, cheia de cabelos já grisalhos, que lhe caíam em gracioso desalinho. Tinha os olhos negros e um pouco amortecidos; adivinhava-se porém que deviam ter sido vivos e ardentes. As suíças também grisalhas eram como as de *lord* Palmerston, segundo dizem as gravuras. Não tinha rugas de velhice; tinha uma ruga na testa, entre as sobrancelhas, indício de concentração de espírito, e não vestígio do tempo. A testa era alta, o queixo e as maçãs do rosto um pouco salientes. Adivinhava-se que devia ter sido formoso no tempo da primeira mocidade; e antevia-se já uma velhice imponente e augusta. Sorria de quando em quando; e o sorriso, embora aquele rosto não fosse de um ancião, produzia uma impressão singular; parecia um raio de lua no meio de uma velha ruína. Vi que o sorriso era amável, mas não era alegre.

Todo aquele conjunto impressionava e atraía; Estêvão sentia-se cada vez mais arrastado para aquele homem, que o procurava, e lhe estendia a mão.

A conversa continuou no tom afetuoso com que começara; a primeira entrevista da amizade é o oposto da primeira entrevista do amor; nesta a mudez é a grande eloquência; naquela inspira-se e ganha-se a confiança, pela exposição franca dos sentimentos e das ideias.

Não se falou de política. Estêvão aludiu de passagem às funções de Meneses, mas foi um verdadeiro incidente a que o deputado não prestou atenção.

No fim de uma hora, Estêvão levantou-se para sair; tinha de ir ver um doente.

– O motivo é sagrado; senão retinha-o.

– Mas eu voltarei outras vezes.

– Sem dúvida alguma, e eu irei vê-lo algumas vezes. Se no fim de quinze dias não se aborrecer... Olhe, venha de tarde; janta algumas vezes comigo; depois da Câmara estou completamente livre.

Estêvão saiu prometendo tudo.

Voltou lá, com efeito, e jantou duas vezes com o deputado, que também visitou Estêvão em casa; foram ao teatro juntos; relacionaram-se intimamente com as famílias conhecidas. No fim de um mês eram dois amigos velhos. Tinham observado reciprocamente o caráter e os sentimentos. Meneses gostava de ver a seriedade do médico e o seu bom senso, estimava-o com as suas intolerâncias, aplaudindo-lhe a generosa ambição que o dominava. Pela sua parte o médico via em Meneses um homem que sabia ligar a austeridade dos anos à amabilidade de cavalheiro, modesto nas suas maneiras, instruído, sentimental. Da misantropia anunciada não encontrou vestígios. É verdade que em algumas ocasiões Meneses parecia mais disposto a ouvir do que a falar; e então o olhar tornava-se-lhe sombrio e parado, como se em vez de ver os objetos exteriores, estivesse contemplando a sua própria consciência. Mas eram rápidos esses momentos, e Meneses voltava logo aos seus modos habituais.

"Não é um misantropo", pensava então Estêvão; "mas este homem tem um drama dentro de si".

A observação de Estêvão adquiriu certo caráter de verossimilhança quando uma noite em que se achavam no Teatro Lírico, Estêvão chamou a atenção de Meneses para uma mulher vestida de preto que se achava em um camarote da primeira ordem.

– Não conheço aquela mulher – disse Estêvão. – Sabe quem é?

Meneses olhou para o camarote indicado, contemplou a mulher por alguns instantes e respondeu:

– Não conheço.

A conversa ficou aí; mas o médico reparou que a mulher duas vezes olhou para Meneses, e este duas vezes para ela, encontrando-se os olhos de ambos.

No fim do espetáculo, os dois amigos dirigiram-se pelo corredor do lado em que estivera a mulher de preto. Estêvão teve apenas nova curiosidade, a curiosidade de artista: quis vê-la de perto. Mas a porta do camarote estava fechada. Teria já saído ou não? Era impossível sabê-lo. Meneses passou sem olhar. Ao chegarem ao patamar da escada que dá para o lado da Rua dos Ciganos, pararam os dois porque havia grande afluência de gente. Daí a pouco ouviu-se passo apressado; Meneses voltou o rosto, e dando o braço a Estêvão desceu imediatamente, apesar da dificuldade.

Estêvão compreendeu, mas nada viu.

Pela sua parte, Meneses não deu sinal algum.

Apenas se desembaraçaram da multidão, o deputado encetou uma alegre conversa com o médico.

– Que efeito lhe faz – perguntou ele – quando passa no meio de tantas damas elegantes, aquela confusão de sedas e de perfumes?

Estêvão respondeu distraidamente, e Meneses continuou a conversa no mesmo estilo; daí a cinco minutos a aventura do teatro tinha-se-lhe varrido da memória.

CAPÍTULO IV

Um dia Estêvão Soares foi convidado para um baile em casa de um velho amigo de seu pai.

A sociedade era luzida e numerosa; Estêvão, embora vivesse muito arredado, achou ali grande número de conhecidas. Não dançou; viu, conversou, riu um pouco e saiu.

Mas ao entrar levava o coração livre; ao sair trouxe nele uma flecha, para falar a linguagem dos poetas da Arcádia; era a flecha do amor.

Do amor? A falar a verdade não se pode dar este nome ao sentimento experimentado por Estêvão; não era ainda o amor, mas bem pode ser que viesse a sê-lo. Por enquanto era um sentimento de fascinação doce e branda; uma mulher que lá estava produzira nele a impressão que as fadas produziam nos príncipes errantes ou nas princesas perseguidas, segundo nos rezam os contos das velhas.

A mulher em questão não era uma virgem; era uma viúva de trinta e quatro anos, bela como o dia, graciosa e terna. Estêvão via-a pela primeira vez; pelo menos não se lembrava daquelas feições. Conversou com ela durante meia hora, e tão encantado ficou com as maneiras, a voz, a beleza de Madalena, que ao chegar à casa não pôde dormir.

Como verdadeiro médico que era, sentia em si os sintomas dessa hipertrofia do coração que se chama amor e procurou combater a enfermidade nascente. Leu algumas páginas de matemáticas, isto é, percorreu-as com os olhos; porque apenas começava a ler o espírito alheava do livro onde apenas ficavam os olhos: o espírito ia ter com a viúva.

O cansaço foi mais feliz que Euclides: sobre a madrugada Estêvão Soares adormeceu.

Mas sonhou com a viúva.

Sonhou que a apertava em seus braços, que a cobria de beijos, que era seu esposo perante a Igreja e perante a sociedade.

Quando acordou e lembrou-se do sonho, Estêvão sorriu.

– Casar-me! – disse ele. – Era o que me faltava. Como poderia eu ser feliz com o espírito receoso e ambicioso que a natureza me deu? Acabemos com isto; nunca mais verei aquela mulher... e boa noite.

Começou a vestir-se.

Trouxeram-lhe o almoço; Estêvão comeu rapidamente, porque era tarde, e saiu para ir ver alguns doentes.

Mas ao passar pela Rua do Conde lembrou-se que Madalena lhe dissera morar ali; mas onde? A viúva disse-lhe o número; o médico porém estava tão embebido em ouvi-la falar que não o decorou.

Queria e não queria; protestava esquecê-la, e contudo daria o que se lhe pedisse para saber o número da casa naquele momento.

Como ninguém podia dizer-lhe, o rapaz tomou o partido de ir-se embora. No dia seguinte, porém, teve o cuidado de passar duas vezes pela Rua do Conde a ver se descobria a encantadora viúva. Não descobriu nada; mas quando ia tomar um tílburi e voltar para casa encontrou o amigo de seu pai em cuja casa encontrara Madalena.

Estêvão já tinha pensado nele; mas imediatamente tirou dali o pensamento, porque ir perguntar-lhe onde morava a viúva era uma coisa que podia traí-lo.

Estêvão já empregava o verbo *trair*.

O homem em questão, depois de cumprimentar ao médico, e trocar com ele algumas palavras, disse-lhe que ia à casa de Madalena, e despediu-se.

Estêvão estremeceu de satisfação.

Acompanhou de longe o amigo e viu-o entrar em uma casa. "É ali", pensou ele. E afastou-se rapidamente.

Quando entrou em casa achou uma carta para ele; a letra, que lhe era desconhecida, estava traçada com elegância e cuidado: a carta recendia de sândalo.

O médico rompeu o lacre. A carta dizia assim:

> *Amanhã toma-se chá em minha casa. Se quiser vir passar algumas horas conosco dar-nos-á sumo prazer.*
> *Madalena C...*

Estêvão leu e releu o bilhete; teve ideia de levá-lo aos lábios, mas envergonhado diante de si próprio por uma ideia que lhe parecia de fraqueza, cheirou simplesmente o bilhete e meteu-o no bolso.

Estêvão era um pouco fatalista.

"Se eu não fosse àquele baile não conhecia esta mulher, não andava agora com estes cuidados, e tinha conjurado uma desgraça ou uma felicidade, porque ambas as coisas podem nascer deste encontro fortuito. Que será? Eis-me na dúvida de Hamlet. Devo ir à casa dela? A cortesia pede que vá. Devo ir; mas irei encouraçado contra tudo. É preciso romper com estas ideias, e continuar a vida tranquila que tenho tido."

Estava nisto quando Meneses lhe entrou por casa. Vinha buscá-lo para jantar. Estêvão saiu com o deputado. Em caminho fez-lhe perguntas curiosas.

Por exemplo:

– Acredita no destino, meu amigo? Pensa que há um deus do bem e um deus do mal, em conflito travado sobre a vida do homem?

– O destino é a vontade – respondia Meneses. – Cada homem faz o seu destino.

– Mas enfim nós temos pressentimentos... Às vezes adivinhamos acontecimentos em que não tomamos parte; não lhe parece que é um deus benfazejo que no-los segreda?

– Fala como um pagão; eu não creio em nada disso. Creio que tenho o estômago vazio, e o que melhor podemos fazer é jantar aqui mesmo no Hotel de Europa em vez de ir à Rua do Lavradio.

Subiram ao Hotel de Europa.

Ali haviam vários deputados que conversavam de política, e os quais se reuniram a Meneses. Estêvão ouvia e respondia, sem esquecer nunca a viúva, a carta e o sândalo.

Assim, pois, davam-se contrastes singulares entre a conversa geral e o pensamento de Estêvão.

Dizia por exemplo um deputado:

– O governo é reator; as províncias não podem mais suportá-lo. Os princípios estão todos preteridos, na minha província foram demitidos alguns subdelegados pela circunstância única de serem meus parentes; meu cunhado, que era diretor das rendas, foi posto fora do lugar, e este deu-se a um peralta contraparente dos Valadares. Eu confesso que vou romper amanhã a oposição.

Estêvão olhava para o deputado; mas no interior estava dizendo isto: "Com efeito, Madalena é bela, é admiravelmente bela. Tem uns olhos de matar. Os cabelos são lindíssimos: tudo nela é fascinador. Se pudesse ser minha mulher, eu seria feliz; mas quem sabe?... Contudo sinto que vou amá-la. Já é irresistível; é preciso amá-la; e ela? que quer dizer aquele convite? Amar-me-á?".

Estêvão embebera-se tanto nesta contemplação ideal, que, acontecendo perguntar-lhe um deputado se não achava a situação negra e carrancuda, Estêvão entregue ao seu pensamento respondeu:

– É lindíssima!

– Ah! – disse o deputado. – Vejo que o senhor é ministerialista.

Estêvão sorriu; mas Meneses franziu o sobrolho. Compreendera tudo.

CAPÍTULO V

Quando saíram, o deputado disse ao médico:

– Meu amigo, você é desleal comigo...

– Por quê? – perguntou Estêvão meio sério e meio risonho, não compreendendo a observação do deputado.

– Sim – continuou Meneses –, você esconde-me um segredo...

– Eu?

– É verdade: e um segredo de amor.

– Ah!... – disse Estêvão. – Por que diz isso?

– Reparei há pouco que, ao passo que os mais conversavam em política, você pensava em uma mulher, e mulher... *lindíssima*...

Estêvão compreendeu que estava descoberto; não negou.

– É verdade, pensava em uma mulher.

– E eu serei o último a saber?

– Mas saber o quê? Não há amor, não há nada. Encontrei uma mulher que me impressionou e ainda agora me preocupa; mas é bem possível que não passe disto. Aí está. É um capítulo interrompido; um romance que fica na primeira página. Eu lhe digo: há de me ser difícil amar.

– Por quê?

– Eu sei? Custa-me a crer no amor.

Meneses olhou fixamente para Estêvão, sorriu, abanou a cabeça e disse:

– Olhe, deixe a descrença para os que já sofreram as decepções; o senhor está moço, não conhece ainda nada desse sentimento. Na sua idade ninguém é cético... Demais, se a mulher é bonita, eu aposto que daqui a pouco há de dizer-me o contrário.

– Pode ser... – respondeu Estêvão.

E ao mesmo tempo entrou a pensar nas palavras de Meneses, palavras que ele comparava ao episódio do Teatro Lírico.

Entretanto, Estêvão foi ao convite de Madalena. Preparou-se e perfumou-se como se fosse falar a uma noiva. Que sairia daquele encontro? Viria de lá livre ou cativo? Já seria amado? Estêvão não deixou de pensá-lo; aquele convite parecia-lhe uma prova irrecusável. O médico entrando num tílburi começou a formar vários castelos no ar.

Enfim chegou à casa.

CAPÍTULO VI

Madalena estava na sala acompanhada de um filho. Ninguém mais.
Eram nove horas e meia.

– Viria eu cedo demais? – perguntou ele à dona da casa.

– O senhor nunca vem cedo.

Estêvão inclinou-se. Madalena continuou:

– Se me acha só, é porque, tendo enfermado um pouco, mandei desavisar as poucas pessoas que eu havia convidado.

– Ah! Mas eu não recebi...

– Naturalmente; eu não lhe mandei dizer nada. Era a primeira vez que o convidava; não queria por modo algum arredar de casa um homem tão distinto.

Estas palavras de Madalena não valiam coisa alguma, nem mesmo como desculpa, porque a desculpa é fraquíssima.

Estêvão compreendeu logo que havia algum motivo oculto. Seria o amor?

Estêvão pensou que era, e doeu-se, porque, apesar de tudo, sonhara uma paixão mais reservada e menos precipitada. Não queria, embora lhe agradasse, ser objeto daquela preferência; e mais que tudo achava-se embaraçadíssimo diante de uma mulher a quem começava a amar, e que talvez o amasse. Que lhe diria? Era a primeira vez que o médico achava-se em tais apuros. Há toda a razão para supor que Estêvão naquele momento preferia estar cem léguas distante, e contudo, longe que estivesse pensaria nela.

Madalena era excessivamente bela, embora mostrasse no rosto sinais de longo sofrimento. Era alta, cheia, tinha um belíssimo colo, magníficos braços, olhos castanhos e grandes, boca feita para ninho de amores.

Naquele momento trajava um vestido preto. A cor preta ia-lhe muito bem.

Estêvão contemplava aquela figura com amor e adoração; ouvia-a falar e sentia-se encantado e dominado por um sentimento que não podia explicar.

Era um misto de amor e de receio.

Madalena mostrou-se delicada e solícita. Falou no merecimento do rapaz e na sua nascente reputação, e instou com ele para que fosse algumas vezes visitá-la.

Às dez horas e meia serviu-se o chá na sala. Estêvão conservou-se lá até às onze horas.

Chegando à rua o médico estava completamente namorado. Madalena tinha-o atado no seu carro, e o pobre rapaz nem vontade tinha de quebrar o jugo.

Caminhando para casa ia ele formando projetos: via-se casado com ela, amado e amante, causando inveja a todos, e mais que tudo feliz no seu interior.

Quando chegou à casa, lembrou-se de escrever uma carta que mandaria no dia seguinte a Meneses. Escreveu cinco e rasgou-as todas.

Afinal redigiu um simples bilhete nestes termos:

> *Meu amigo.*
> *Você tem razão; na minha idade crê-se; eu creio e amo. Nunca o pensei; mas é verdade. Amo... Quer saber a quem? Hei de apresentá-lo em casa dela. Há de achá-la bonita... Se o é...!*

A carta dizia muitas coisas mais; era tudo, porém, uma glosa do mesmo mote.

Estêvão voltou à casa de Madalena e as suas visitas começaram a ser regulares e assíduas. A viúva usava para com ele de tanta solicitude que não era possível duvidar do sentimento que a dirigia. Pelo menos Estêvão assim o pensava. Achava-se quase sempre só, e deliciava-se em ouvi-la. A intimidade começou a estabelecer-se.

Logo na segunda visita, Estêvão falou-lhe em Meneses pedindo licença para apresentá-lo. A viúva disse que teria muito prazer em receber amigos de Estêvão; mas pedia-lhe que adiasse a apresentação. Todos os pedidos e todas as razões de Madalena eram dignas para o médico; não disse mais nada.

Como era natural, ao passo que as visitas à viúva eram mais assíduas, as visitas ao amigo eram mais raras.

Meneses não se queixou; compreendeu, e disse-o ao rapaz.

— Não se desculpe — acrescentou o deputado —; é natural; a amizade deve ceder o passo ao amor. O que eu quero é que seja feliz.

Um dia Estêvão pediu ao amigo que lhe contasse o motivo que o tinha feito descrer do amor, e se algum grande infortúnio lhe havia acontecido.

— Nada me aconteceu — disse Meneses.

Mas ao mesmo tempo, compreendendo que o médico merecia-lhe toda a confiança, e podia não acreditá-lo absolutamente, disse:

— Por que negá-lo? Sim, aconteceu-me um grande infortúnio; amei também, mas não encontrei no amor as doçuras e a dignidade do sentimento; enfim, é um drama íntimo de que não quero falar: limite-se a pateá-lo.

CAPÍTULO VII

— Quando quiser que eu lhe apresente o meu amigo Meneses... — dizia Estêvão uma noite à viúva Madalena.

— Ah! É verdade; um dia destes. Vejo que o senhor é amigo dele.

— Somos amigos íntimos.

— Verdadeiros?

— Verdadeiros.

Madalena sorriu; e como estava brincando com os cabelos do filho deu-lhe um beijo na testa.

A criança riu alegremente e abraçou a mãe.

A ideia de vir a ser pai honorário do pequeno apresentou-se ao espírito de Estêvão. Contemplou-o, chamou por ele, acariciou-o e deu-lhe um beijo no mesmo lugar em que pousaram os lábios de Madalena.

Estêvão tocava piano, e às vezes executava algum pedaço de música a pedido de Madalena.

Nessas e noutras distrações lá passavam as horas. O amor não adiantava um passo. Podiam ser ambos duas crateras prestes a rebentar a lava; mas até então não davam o menor sinal de si.

Esta situação incomodava o rapaz, acanhava-o, e fazia-o sofrer; mas quando ele pensava em dar um ataque decisivo, era exatamente quando se mostrava mais cobarde e poltrão. Era o primeiro amor do rapaz: ele nem conhecia as palavras próprias desse sentimento.

Um dia resolveu escrever à viúva.

"É melhor", pensava ele; "uma carta é eloquente e tem a grande vantagem de deixar a gente longe".

Entrou para o gabinete e começou uma carta.

Gastou nisso uma hora; cada frase ocupava-lhe muito tempo. Estêvão queria fugir à hipótese de ser classificado como tolo ou como sensual. Queria que a carta não respirasse sentimentos frívolos nem maus; queria revelar-se puro como era.

Mas de que não dependem às vezes os acontecimentos? Estêvão estava relendo e emendando a carta quando lhe entrou por casa um rapazola que tinha intimidade com ele. Chamava-se Oliveira e passava por ser o primeiro janota do Rio de Janeiro.

Entrou com um rolo de papel na mão. Estêvão escondeu rapidamente a carta.

– Adeus, Estêvão! – disse o recém-chegado. – Estavas escrevendo algum libelo ou carta de namoro?

– Nem uma nem outra coisa – respondeu Estêvão secamente.

– Dou-te uma notícia.

– Que é?

– Entrei na literatura.

– Ah!

– É verdade, e venho ler-te a primeira comédia.

– Deus me livre! – disse Estêvão levantando-se.

– Hás de ouvir, meu amigo; ao menos algumas cenas; dar-se-á caso que não me protejas nas letras? Anda cá; ao menos duas cenas. Sim? É pouca coisa.

Estêvão sentou-se.

O dramaturgo continuou:

– Talvez prefiras ouvir a minha tragédia intitulada O Punhal de Bruto...

– Não, não; prefiro a comédia: é menos sanguinária. Vamos lá.

O Oliveira abriu o rolo, arranjou as folhas, tossiu e começou a ler o que se segue, com voz pausada e fanhosa:

CENA I
CÉSAR (*entrando pela direita*); JOÃO (*pela esquerda*)
CÉSAR – Fechada! A sinhá já se levantou?
JOÃO – Já, sim senhor; mas está incomodada.
CÉSAR – O que tem?
JOÃO – Tem... está incomodada.
CÉSAR – Já sei. (*Consigo*) "Os incômodos do Costume." (*A João*) Qual é então o remédio hoje?
JOÃO – O remédio? (*Depois de uma pausa*) Não sei.
CÉSAR – Está bom, vai-te!

CENA II
CÉSAR, FREITAS (*pela direita*)
CÉSAR – Bom dia, senhor procurador...
FREITAS – De causas perdidas. Só me ocupo em procurar as perdidas. Procurar o que se não perdeu é tolice. A minha constituinte?
CÉSAR – Disse-me o João que está incomodada.
FREITAS – Mesmo para Vossa Senhoria?
CÉSAR – (*Sentando-se*) Mesmo para mim. Por que me olha com esse olhar? Tem inveja?
FREITAS – Não é inveja, é admiração! De ordinário ninguém corresponde ao nome que recebeu na pia; mas o senhor César, benza-o Deus, não desmente que traz um nome significativo, e trata de ser nas páginas amorosas o que foi o outro nas batalhas campais.
CÉSAR – Pois também os procuradores dizem coisas destas?
FREITAS – De vez em quando. (*Indo sentar-se*) Vossa Senhoria admira-se?
CÉSAR – (*Tirando charutos*) Como não é de costume... quer um charuto?
FREITAS – Obrigado... Eu tomo rapé. (*Tira a boceta*) Quer uma pitada?
CÉSAR – Obrigado.
FREITAS – (*Sentando-se*) Pois a causa da minha constituinte vai às mil maravilhas. A parte contrária requereu assinação de dez dias, mas eu vou...
CÉSAR – Está bom, senhor Freitas, eu dispenso o resto; ou então não me fale linguagem do foro. Em resumo, ela vence?
FREITAS – Está claro. Tratando provar que...
CÉSAR – Vence, é quanto basta.

FREITAS – Pudera não vencer! Pois se eu ando nisto...
CÉSAR – Tanto melhor!
FREITAS – Ainda não me lembro de ter perdido uma só causa: isto é, já perdi uma, mas é porque nas vésperas de ganhar disse-me o constituinte que desejava perdê-la. Dito e feito. Provei o contrário do que já tinha provado, e perdi... ou antes, ganhei, porque perder assim é ganhar.
CÉSAR – É a fênix dos procuradores.
FREITAS – (*Modestamente*) São os seus bons olhos...
CÉSAR – Mas a consciência?
FREITAS – Quem é a consciência?
CÉSAR – A consciência, a sua consciência?
FREITAS – A minha consciência? Ah! essa também ganha.
CÉSAR – (*Levantando-se*) Ah! também?...
FREITAS – (*O mesmo*) Tem Vossa Senhoria alguma demandazinha?
CÉSAR – Não, não, não tenho; mas, quando tiver, fique descansado, vou bater à sua porta.
FREITAS – Sempre às ordens de Vossa Senhoria.

CAPÍTULO VIII

Estêvão interrompeu violentamente a leitura, o que desgostou bastante ao poeta novel. O pobre candidato às musas mal pôde balbuciar uma súplica; Estêvão mostrou-se surdo, e o mais que lhe concedeu foi ficar com a comédia para lê-la depois.

Oliveira contentou-se com isso; mas não se retirou sem recitar-lhe de cor uma fala do protagonista da tragédia, em versos duros e compridos, dando--lhe por quebra uma estrofe de uma poesia lírica, no estilo do *Djinns* de Victor Hugo.

Enfim saiu.

Entretanto havia passado o tempo.

Estêvão releu a carta e quis ainda mandá-la; mas a interrupção do poeta fora proveitosa; relendo a carta, Estêvão achou-a fria e nula; a linguagem era ardente, mas não lhe correspondia ao fogo do coração.

– É inútil, disse ele rasgando a carta em mil pedaços, a língua humana há de ser sempre impotente para exprimir certos afetos da alma; tudo aquilo era frio e diferente do que sinto. Estou condenado a não dizer nada ou a dizer mal. Ao pé dela não tenho forças, sinto-me fraco...

Estêvão parou diante da janela que dava para a rua, no momento em que passava um antigo colega dele, com a mulher de braço, a mulher que era bonita, e com quem se casara um mês antes.

Os dois iam alegres e felizes.

Estêvão contemplou aquele quadro com adoração e tristeza. O casamento já não era para ele aquele impossível de que falava quando apenas tinha ideias e não sentimentos. Agora era uma ventura realizável.

O casal que passara dera-lhe nova força.

– É preciso acabar com isto, dizia ele; eu não posso deixar de ir àquela mulher e dizer-lhe que a amo, que a adoro, que desejo ser seu marido. Ela amar-me-á, se já me não ama: sim, ama-me...

E começou a vestir-se.

Quando calçava as luvas e lançava um olhar para o relógio, o criado trouxe-lhe uma carta.

Era de Madalena.

> *Espero, meu caro doutor, que não deixe de vir hoje; esperei-o ontem em vão. Desejo falar-lhe.*

Estêvão acabou de ler este bilhete na escada, com tal pressa descia e tal urgência tinha de achar-se em casa da viúva.

O que ele não queria era perder aquele assomo de coragem. Partiu.

Quando chegou à casa de Madalena achava-se esta à janela. Recebeu-o com a costumada afabilidade. Estêvão desculpou-se como pôde por não ter podido vir na véspera, acrescentando que só com desgosto do seu coração havia faltado.

Que melhor ocasião do que era essa para lançar a bomba de uma declaração franca e apaixonada? Estêvão hesitou alguns segundos; mas tomando ânimo, ia continuar o período, quando a viúva lhe disse:

– Estava ansiosa por vê-lo para comunicar-lhe uma coisa de certa importância, e que só a um homem de honra, como o senhor, se pode confiar.

Estêvão empalideceu.

– Sabe onde foi que eu o vi pela primeira vez?

– No baile de ***.

– Não; foi antes disso; foi no Teatro Lírico.

– Ah! Lá o vi com o seu amigo Meneses.

– Fomos algumas vezes lá!

Madalena entrou então em uma longa exposição, que o rapaz ouviu sem pestanejar, mas pálido e agitado por comoções íntimas. As últimas palavras da viúva foram estas:

— Bem vê, senhor; coisas destas só uma grande alma pode ouvi-las. As pequenas não as compreendem. Se lhe mereço alguma coisa, e se esta confiança pode ser paga com um benefício, peço-lhe que faça o que lhe pedi.

O médico passou a mão pelos olhos, e apenas murmurou:

— Mas...

Neste momento entrava na sala o filhinho de Madalena; a viúva levantou-se e trouxe-o pela mão até o lugar onde se achava Estêvão Soares.

— Se não por mim, disse ela, ao menos por esta criança inocente!

A criança, sem nada compreender, atirou-se aos braços de Estêvão.

O moço deu-lhe um beijo na testa, e disse para a viúva:

— Se hesitei não foi porque duvidasse do que a senhora acaba de contar-me; foi porque a missão é espinhosa; mas prometo que hei de cumpri-la.

CAPÍTULO IX

Estêvão saiu da casa da viúva agitado por diversos sentimentos, com passo trêmulo e a vista turva. A conversa com a viúva fora um longo combate; a última promessa foi um golpe decisivo e mortal. Estêvão saía dali como um homem que acabava de matar as suas esperanças em flor; caminhava ao acaso, precisava de ar e queria meter-se em um quarto sombrio; quisera ao mesmo tempo estar solitário e no meio de imensa multidão.

No caminho encontrou Oliveira, o poeta novel.

Lembrou-se que a leitura da comédia impedira a remessa da carta, e portanto poupou-lhe um tristíssimo desengano.

Estêvão involuntariamente abraçou o poeta com toda a efusão d'alma. Oliveira correspondeu ao abraço, e quando pôde desligar-se do médico, disse-lhe:

— Obrigado, meu amigo; estas manifestações são muito honrosas para mim; sempre te conheci como um perfeito juiz literário, e a prova que acabas de dar-me é uma consolação e uma animação; consola-me do que tenho sofrido, anima-me para novos cometimentos. Se Torquato Tasso...

Diante desta ameaça de discurso, e sobretudo vendo a interpretação do seu abraço, Estêvão resolveu-se a continuar caminho abandonando o poeta.

— Adeus, tenho pressa.

— Adeus, obrigado!

Estêvão chegou à casa e atirou-se à cama. Ninguém o soube nunca, só as paredes do quarto foram testemunhas; mas a verdade é que Estêvão chorou lágrimas amargas.

Enfim que lhe dissera Madalena e que exigira dele?

A viúva não era viúva; era mulher de Meneses; viera do Norte meses antes do marido, que só veio como deputado; Meneses, que a amava doidamente, e que era amado com igual delírio, acusava-a de infidelidade; uma carta e um retrato eram os indícios; ela negou, mas explicou-se mal; o marido separou-se e mandou-a para o Rio de Janeiro.

Madalena aceitou a situação com resignação e coragem: não murmurou nem pediu, cumpriu a ordem do marido.

Todavia Madalena não era criminosa; o seu crime era uma aparência; estava condenada por fidelidade de honra. A carta e o retrato não lhe pertenciam; eram apenas um depósito imprudente e fatal. Madalena podia dizer tudo, mas era trair uma promessa; não quis; preferiu que a tempestade doméstica caísse unicamente sobre ela.

Agora, porém, a necessidade do segredo expirara; Madalena recebeu do Norte uma carta em que a amiga, no leito da morte, pedia que inutilizasse a carta e o retrato, ou os restituísse ao homem que lhos dera. Esta carta era uma justificação.

Madalena podia mandar a carta ao marido, ou pedir-lhe uma entrevista; mas receava tudo; sabia que seria inútil, porque Meneses era extremamente severo.

Vira o médico uma noite no teatro em companhia de seu marido; indagara e soube que eram amigos; pedia-lhe pois que fosse mediador entre os dois, que a salvasse e que reconstruísse uma família.

Não era pois somente o amor de Estêvão que sofria; era também o seu amor-próprio. Estêvão facilmente compreendeu que não fora atraído àquela casa para outra coisa. É verdade que a carta só chegara na véspera; mas a carta apenas vinha apressar a resolução. Naturalmente Madalena pedir-lhe-ia, sem haver carta, algum serviço análogo àquele.

Se se tratasse de qualquer outro homem, Estêvão recusaria o serviço que lhe pedia a *viúva*, mas tratava-se do seu amigo, de um homem a quem ele devia estima e serviços de amizade.

Aceitou, pois, a cruel missão.

– Cumpra-se o destino – disse ele –; hei de ir lançar a mulher que amo aos braços de outro; e por desgraça maior, em vez de gozar com este restabelecimento de concórdia doméstica, vejo-me na dura situação de amar a mulher do meu amigo, isto é, de fugir para longe...

Estêvão não saiu mais de casa nesse dia.

Quis escrever ao deputado contando-lhe tudo; mas pensou que o melhor era falar-lhe de viva voz. Embora lhe custasse mais, era de mais efeito para o desempenho da sua promessa.

Adiou, porém, para o dia seguinte, ou antes para o mesmo dia, porque a noite não lhe interrompeu o tempo, visto que Estêvão não dormiu um minuto sequer.

CAPÍTULO X

Levantou-se da cama o pobre namorado sem ter conseguido dormir. Vinha nascendo o sol.
Quis ler os jornais e pediu-os.
Já os ia pondo de lado, por haver acabado de ler, quando repentinamente viu o seu nome impresso no Jornal do Commercio.
Era um artigo a pedido com o título de "Uma Obra-Prima."
Dizia o artigo:

> *Temos o prazer de anunciar ao país o próximo aparecimento de uma excelente comédia, estreia de um jovem literato fluminense, de nome Antônio Carlos de Oliveira.*
> *Este robusto talento, por muito tempo incógnito, vai enfim entrar nos mares da publicidade, e para isso procurou logo ensaiar-se em uma obra de certo vulto.*
> *Consta-nos que o autor, solicitado por seus numerosos amigos, leu há dias a comédia em casa do senhor doutor Estêvão Soares, diante de um luzido auditório, que aplaudiu muito e profetizou no senhor Oliveira um futuro Shakespeare.*
> *O senhor doutor Estêvão Soares levou a sua amabilidade a ponto de pedir a comédia para ler segunda vez, e ontem ao encontrar-se na rua com o senhor Oliveira, de tal entusiasmo vinha possuído que o abraçou estreitamente, com grande pasmo dos numerosos transeuntes.*
> *Da parte de um juiz tão competente em matérias literárias este ato é honroso para o senhor Oliveira.*
> *Estamos ansiosos por ler a peça do senhor Oliveira, e ficamos certos de que ela fará fortuna de qualquer teatro.*
> *O AMIGO DAS LETRAS.*

Estêvão, apesar dos sentimentos que o agitavam então, enfureceu-se com o artigo que acabava de ler. Não havia dúvida que o autor dele era o próprio autor da comédia. O abraço da véspera fora mal interpretado, e o poetastro aproveitava-o em seu favor. Se ao menos não falasse no nome de Estêvão, este poderia desculpar a vaidadezinha do escritor. Mas o nome ali estava como cúmplice da obra.

Pondo de lado o Jornal do Commercio, Estêvão lembrou-se de protestar, e ia já escrever um artigo quando recebeu uma cartinha de Oliveira.

Dizia a carta:

> *Meu Estêvão.*
> *Lembrou-se um amigo meu de escrever alguma coisa a propósito da minha peça. Expliquei-lhe como se dera a leitura em tua casa, e disse-lhe como é que, apesar do vivo desejo que tinhas de ouvir lê-la, interrompeste-me para ir cuidar de um doente. Apesar de tudo isto, o meu referido amigo contou hoje no Jornal do Commercio a história alterando um pouco a verdade. Desculpa-o; é a linguagem da amizade e da benevolência.*
> *Ontem entrei para casa tão orgulhoso com o teu abraço que escrevi uma ode, e assim manifestou-se em mim a veia lírica, depois da cômica e da trágica. Aí te mando o rascunho; se não prestar, rasga-a.*

A carta tinha, por engano, a data da véspera.
A ode era muito comprida; Estêvão nem a leu, atirou-a para um canto.
A ode começava assim:

> *Sai do teu monte, ó musa!*
> *Vem inspirar a lira do poeta;*
> *Enche de luz a minha fronte ousada,*
> *E mandemos aos evos,*
> *Nas asas de uma estrofe ingente e altíssona,*
> *Do caro amigo o animador abraço!*
>
> *Não canto os altos feitos*
> *De Aquiles, nem traduzo os sons tremendos*
> *Dos rufos marciais enchendo os campos!*
> *Outro assunto me inspira.*
> *Não canto a espada que dá morte e campa;*
> *Canto o abraço que dá vida e glória!*

CAPÍTULO XI

Como havia prometido, Estêvão foi logo procurar o deputado Meneses. Em vez de ir direto ao fim, quis antes sondá-lo a respeito do seu passado. Era a primeira vez que o moço tocava em tal. Meneses não desconfiou, mas estranhou; mas tal confiança tinha nele que não recusou nada.

– Sempre imaginei – dissera-lhe Estêvão – que há na sua vida um drama. E talvez engano meu, mas a verdade é que ainda não perdi a ideia.

– Há, com efeito, um drama; mas um drama pateado. Não sorria; é assim. Que supõe então?

– Não suponho nada. Imagino que...

– Pede dramas a um homem político?

– Por que não?

– Eu lhe digo. Sou político e não sou. Não entrei na vida pública por vocação; entrei como se entra em uma sepultura: para dormir melhor. Por que o fiz? A razão é o drama de que me fala.

– Uma mulher, talvez...

– Sim, uma mulher.

– Talvez mesmo, disse Estêvão procurando sorrir, talvez uma esposa. Meneses estremeceu e olhou para o amigo, espantado e desconfiado.

– Quem lho disse?

– Pergunto.

– Uma esposa, sim; mas não lhe direi mais nada. É a primeira pessoa que ouve tanta coisa de mim. Deixemos o passado que morreu: *parce sepultis*.

– Conforme – disse Estêvão – e se eu pertencer a uma seita filosófica que pretenda ressuscitar os mortos, mesmo quando é um passado...

– As suas palavras, ou querem dizer muito, ou nada. Qual é a sua intenção?

– A minha intenção não é ressuscitar o passado unicamente; é repará-lo, é restaurá-lo em todo o seu esplendor, com toda a legitimidade do seu direito; o meu fim é dizer-lhe, meu caro amigo, que a mulher condenada é uma mulher inocente.

Ouvindo estas palavras Meneses deu um pequeno grito.

Depois levantando-se com rapidez pediu a Estêvão que lhe dissesse o que sabia e como sabia.

Estêvão referiu tudo.

Quando concluiu a sua narração, o deputado abanou a cabeça com aquele último sintoma de incredulidade que é ainda um eco das grandes catástrofes domésticas.

Mas Estêvão ia armado contra as objeções do marido. Protestou energicamente pela defesa da mulher; instou pelo cumprimento do dever.

A última resposta de Meneses foi esta:

— Meu caro Estêvão, a mulher de César nem deve ser suspeitada. Acredito em tudo; mas o que está feito está feito.
— O princípio é cruel, meu amigo.
— É fatal.
Estêvão saiu.

Ficando só, Meneses caiu em profunda meditação; ele acreditava em tudo, e amava a mulher; mas não acreditava que os belos dias pudessem voltar.

Recusando, pensava ele, era ficar no túmulo em que tivera tão brando sono. Estêvão, porém, não desanimou.

Quando entrou em casa, escreveu uma longa carta ao deputado exortando-o a que restaurasse a família um momento separada e desfeita. Estêvão era eloquente; o coração de Meneses com pouco se contentava.

Enfim, nesta missão diplomática, o médico houve-se com suprema habilidade. No fim de alguns dias dissipara-se a nuvem do passado, e o casal reunira-se.

Como?

Madalena soube das disposições de Meneses e recebeu o anúncio de uma visita de seu marido.

Quando o deputado preparava-se para sair, vieram dizer-lhe que uma senhora o procurava.

A senhora era Madalena.

Meneses nem quis abraçá-la; ajoelhou-se-lhe aos pés.

Tudo estava esquecido.

Quiseram celebrar a reconciliação, e Estêvão foi convidado para lá passar o dia em companhia dos seus amigos, que lhe deviam a felicidade.

Estêvão não foi.

Mas no dia seguinte Meneses recebeu este bilhete:

Desculpe, meu amigo, se não vou despedir-me pessoalmente. Sou obrigado a partir repentinamente para Minas. Voltarei daqui a alguns meses.
Estimo que sejam felizes, e espero que não se esqueçam de mim.

Meneses foi apressadamente à casa de Estêvão, e ainda o achou preparando as malas. Achou singular a viagem, e mais singular o bilhete; mas o médico não revelou por modo nenhum o verdadeiro motivo da sua partida.

Quando Meneses voltou, comunicou à mulher as suas impressões; e perguntou se ela compreendia aquilo.

— Não — respondeu Madalena. Mas tinha compreendido enfim. "Nobre alma!", disse ela consigo.

Nada disse ao marido; nisso mostrava-se esposa solícita pela tranquilidade conjugal; mas mostrava-se sobretudo mulher.

Meneses não foi à Câmara durante muitos dias, e no primeiro paquete seguiu para o Norte.

A ausência transtornou algumas votações, e a sua partida logrou muitos cálculos.

Mas o homem tem o direito de procurar a sua felicidade e a felicidade de Meneses era independente da política.

A PIANISTA

TINHA VINTE E DOIS anos e era professora de piano. Era alta, formosa, morena e modesta. Fascinava e impunha respeito; mas através do recato que ela sabia manter sem cair na afetação ridícula de muitas mulheres, via-se que era uma alma ardente e apaixonada, capaz de atirar-se ao mar, como Safo ou de enterrar-se com o seu amante, como Cleópatra.

Ensinava piano. Era esse o único recurso que tinha para sustentar-se e a sua mãe, pobre velha a quem os anos e a fadiga de uma vida trabalhosa não permitiam já tomar parte nos labores de sua filha.

Malvina (era o nome da pianista) era estimada onde quer que fosse exercer a sua profissão. A distinção de suas maneiras, a delicadeza de sua linguagem, a beleza rara e fascinante, e mais do que isso, a boa fama de mulher honesta acima de toda a insinuação, tinha-lhe granjeado a estima de todas as famílias.

Era admitida nos saraus e jantares de família, não só como pianista, mas ainda como conviva elegante e simpática, sendo que ela sabia pagar com a mais perfeita distinção as atenções de que era objeto.

Nunca se lhe desmentira a estima que em todas as famílias encontrava. Essa estima estendia-se até à pobre Teresa, sua mãe, que participava igualmente dos convites que faziam a Malvina.

O pai de Malvina morrera pobre, deixando à família a lembrança honrosa de uma vida honrada. Era um pobre advogado sem carta, que, à custa de longa prática, conseguira poder exercer as funções da advocacia com tanto sucesso como se houvera cursado os estudos acadêmicos. O mealheiro do pobre homem foi sempre um tonel das Danaides, escoando-se por um lado o que entrava por outro, graças às necessidades de honra que o mau destino lhe deparava. Quando pretendia começar a fazer pecúlio para garantir o futuro da viúva e da órfã que deixasse, deu a alma a Deus.

Tinha, além de Malvina, um filho, principal causa dos danos pecuniários que sofreu; mas esse, mal falecera o pai, abandonou a família, e vivia, na época desta narrativa, uma vida de opróbrio.

Era Malvina o único amparo de sua velha mãe, a quem amava com um amor de adoração.

* * *

Ora, entre as famílias onde Malvina exercia as suas funções de pianista, contava-se, em 1850, a família de Tibério Gonçalves Valença.

Tenho necessidade de dizer em duas palavras quem era Tibério Gonçalves Valença para melhor compreensão da minha narrativa.

Tibério Gonçalves Valença nascera com o século, isto é, contava na época em que se passam estes acontecimentos, cinquenta anos, e na época em que a família real portuguesa chegou ao Rio de Janeiro, oito anos.

Era filho de Basílio Gonçalves Valença, natural do interior da província do Rio de Janeiro, homem de certa influência na capital, nos fins do último século. Tinha exercido, a contento do governo, certos cargos administrativos, em virtude dos quais teve ocasião de praticar com alguns altos funcionários e adquirir por isso duas coisas: a simpatia dos referidos funcionários e uma decidida vocação para adorar tudo quanto respirava nobreza de duzentos anos para cima.

A família real portuguesa chegou ao Rio de Janeiro em 1808. Nessa época Basílio Valença estava retirado da vida pública, em virtude de várias moléstias graves, das quais, todavia, já se achava restabelecido naquela época. Tomou parte ativa na alegria geral e sincera com que o príncipe regente foi recebido pela população da cidade, e por uma anomalia que muita gente não compreendeu, admirava menos o representante da real nobreza bragantina do que os diferentes figurões que faziam parte da comitiva que acompanhava a monarquia portuguesa.

Tinha queda especial para os estudos nobiliários; dispunha de uma memória prodigiosa e era capaz de repetir sem vacilar todos os graus de ascendência fidalga deste ou daquele solar. Quando a ascendência se perdia na noite dos tempos, Basílio Valença parava a narração e dizia com entusiasmo que dali só para onde Deus sabia.

E este entusiasmo era tão espontâneo, e esta admiração tão sincera, que uma vez julgou dever romper as relações de amizade com um compadre só porque este lhe objetou que muito longe que fosse certa fidalguia nunca podia ir além de Adão e Eva.

Darei uma prova da admiração de Basílio Valença pelas coisas fidalgas. Para alojar os nobres que acompanhavam o príncipe regente foi preciso, por ordem do intendente de polícia, que muitos moradores das boas casas as despejassem incontinente. Basílio Valença nem esperou que esta ordem lhe fosse comunicada; mal soube das diligências policiais a que se procedia foi de moto próprio oferecer a sua casa, que era das melhores, e mudou-se para outra de muito menor valia e de mesquinho aspecto.

E mais. Muitos dos fidalgos alojados violentamente tarde deixaram as casas, e tarde satisfizeram os aluguéis respectivos. Basílio Valença não só impôs a condição de que não se lhe devolveria a casa enquanto fosse necessária, senão que declarou peremptoriamente não aceitar do fidalgo alojado o mínimo real.

Esta admiração que se traduziu por fatos era efetivamente sincera, e até morrer nunca Basílio deixou de ser o que sempre foi.

Tibério Valença foi educado nestas tradições. O pai inspirou-lhe as mesmas ideias e as mesmas simpatias. Com elas cresceu, crescendo-lhes entretanto outras ideias que o andar do tempo lhe foi inspirando. Imaginou que a longa e tradicional afeição de sua família pelas famílias afidalgadas dava-lhe um direito de penetrar no círculo fechado dos velhos brasões, e nesse sentido tratou de educar os filhos e avisar o mundo.

Tibério Valença não era lógico neste procedimento. Se não queria admitir em sua família um indivíduo que na sua opinião estava abaixo dela, como pretendia entrar nas famílias nobres de que ele se achava evidentemente muito mais baixo? Isto, que saltava aos olhos de qualquer, não era compreendido por Tibério Valença, a quem a vaidade de ver misturar o sangue vermelho das suas veias com o sangue azul das veias fidalgas era para ele o único e exclusivo cuidado.

Finalmente o tempo trouxe as necessárias modificações às pretensões nobiliárias de Tibério Valença, e em 1850 já não exigia uma linha de avós puros e incontestáveis, exigia simplesmente uma fortuna regular.

Eu não me atrevo a dizer o que penso destas preocupações de um homem que a natureza fizera pai. Indico-as simplesmente. E acrescento que Tibério Valença cuidava destes arranjos dos filhos como cuidava do arranjo de umas fábricas que possuía. Eram para ele a mesma operação.

Ora, apesar de toda a vigilância, o filho de Tibério Valença, Tomás Valença, não comungou com as ideias do pai, nem assinou os seus projetos secretos. Era moço, recebia a influência de outras ideias e de outros tempos, e podia recebê-la em virtude da liberdade plena que gozava e da companhia que escolheu. Elisa Valença, sua irmã, não estava, talvez, no mesmo caso, e muitas vezes teve de comprimir os impulsos do coração para não contrariar as ideias acanhadas que Tibério Valença lhe introduzira na cabeça. Mas fossem ambos com as suas ideias ou não fossem absolutamente, era o que Tibério Valença não cuidava de saber. Ele tinha a respeito da paternidade umas ideias especiais; entendia que estava na sua mão regular, não só o futuro, o que era justo, mas ainda o coração dos seus filhos. Nisto enganava-se Tibério Valença.

* * *

Malvina ensinava piano a Elisa. Ali, como nas outras casas, era estimada e respeitada. Havia já três meses que contava a filha de Tibério Valença entre as suas discípulas e já a família Valença prestava-lhe um culto de simpatia e afeição.

A afeição de Elisa por ela foi mesmo muito longe. A discípula confiava à professora os segredos mais íntimos do seu coração, e para isso era levada pela confiança que lhe inspirava a mocidade e os modos sérios de Malvina.

Elisa não tinha mãe nem irmãs. A pianista era a única pessoa do seu sexo com quem a moça tinha ocasião de conversar mais frequentemente.

Assistia às lições de piano o filho de Tibério Valença. Da conversa ao namoro, do namoro ao amor decidido não mediou muito tempo. Um dia Tomás levantou-se da cama com a convicção de que amava Malvina. A beleza, a castidade da moça obravam este milagre. Malvina, que até então se conservara isenta de paixões, não pôde resistir a esta. Amou perdidamente o rapaz.

Elisa entrava no amor de ambos como confidente. Estimava o irmão, estimava a professora, e esta estima dupla fez esquecer-lhe por algum tempo os preconceitos inspirados por seu pai.

Mas o amor tem o grande inconveniente de não guardar a discrição necessária para que os estranhos não percebam. Quando dois olhares andam a falar entre si todo o mundo fica aniquilado para os olhos que os desferem; parece-lhes que têm o direito e a necessidade de viverem de si e por si.

Ora, um dia em que Tibério Valença voltou mais cedo, e a pianista demorou a lição até mais tarde, foi obrigado o sisudo pai a assistir aos progressos de sua filha. Tentado pelo que ouviu Elisa tocar, exigiu mais, e mais, e mais, até que veio notícia de que o jantar estava na mesa. Tibério Valença convidou a moça a jantar, e esta aceitou.

Foi para o fim do jantar que Tibério Valença descobriu os olhares menos indiferentes que se trocavam entre Malvina e Tomás.

Apanhando um olhar por acaso não deixou de prestar atenção mais séria aos outros, e com tanta infelicidade para os dois namorados, que desde então não perdeu um só. Quando se levantou da mesa era outro homem, ou antes era o mesmo homem, o verdadeiro Tibério, um Tibério indignado e já desonrado só com os preliminares de um amor que existia.

Despediu a moça com alguma incivilidade, e retirando-se para o seu quarto, mandou chamar Tomás. Este acudiu pressuroso ao chamado do pai, sem cuidar, nem por sombras, do que se ia tratar.

— Sente-se — disse Tibério Valença.

Tomás sentou-se.

– Possuo uma fortuna redonda que pretendo deixar aos meus dois filhos, se eles forem dignos de mim e da minha fortuna. Tenho um nome que, se se não recomenda por uma linha ininterrompida de avós preclaros, todavia pertence a um homem que mereceu a confiança do rei dos tempos coloniais e foi tratado sempre com distinção pelos fidalgos do seu tempo. Tudo isto impõe aos meus filhos uma discrição e um respeito de si mesmo, única tábua de salvação da honra e da fortuna. Creio que me expliquei e me compreendeu.

Tomás estava aturdido. As palavras do pai eram grego para ele. Olhou fixamente para Tibério Valença, e quando este com um gesto de patrício romano mandou-o embora, Tomás deixou escapar estas palavras em tom humilde e suplicante:

– Explique-se, meu pai; não o compreendo.

– Não compreende?

– Não.

Os olhos de Tibério Valença faiscavam. Parecia-lhe que tinha falado claro, não querendo sobretudo falar mais claro, e Tomás, sem procurar a oportunidade daquelas observações, perguntava-lhe o sentido das suas palavras, no tom da mais sincera surpresa. Era preciso dar a Tomás a explicação pedida.

Tibério Valença continuou:

– As explicações que lhe tenho a dar são mui resumidas. Quem lhe deu o direito de me andar namorando a filha de um rábula?

– Não compreendo ainda – disse Tomás.

– Não compreende?

– Quem é a filha do rábula?

– É essa pianista, cuja modéstia todos são unânimes em celebrar, mas que eu descubro agora ser apenas uma rede que ela arma para apanhar um casamento rico.

Tomás compreendeu enfim de que se tratava. Tudo estava descoberto. Não compreendeu nem como nem desde quando, mas compreendeu que o seu amor, tão cuidadosamente velado, já não era segredo.

Todavia, ao lado da surpresa que lhe causaram as palavras do pai, sentiu um desgosto pela insinuação brutal de que vinha acompanhada a explicação: e, sem responder nada, levantou-se, curvou a cabeça e encaminhou-se para a porta.

Tibério Valença fê-lo parar dizendo:

– Então que é isso?

– Meu pai...

– Retirava-se sem mais nem menos? Que me diz em resposta às minhas observações? Veja lá. Ou a pianista sem a fortuna, ou a fortuna sem a pianista:

é escolher. Eu não ajuntei dinheiro nem o criei com tanto trabalho para realizar os projetos atrevidos de uma mulher de pouco mais ou menos...

— Meu pai, se o que me retivesse na casa paterna fosse simplesmente a fortuna, minha escolha estava feita: o amor de uma mulher honesta bastava-me para amparar minha vida: eu saberei trabalhar por ela. Mas eu sei que acompanhando essa moça perco a afeição de meu pai, e prefiro perder a mulher a perder o pai: fico.

Esta resposta de Tomás desconcertou Tibério Valença. O pobre homem passou a mão pela cabeça, fechou os olhos, franziu a testa, e depois de dois minutos, disse, levantando-se:

— Pois sim, de um ou de outro modo, estimo que fique. Poupo-lhe um arrependimento.

E fez um gesto a Tomás para que saísse. Tomás saiu, de cabeça baixa, e dirigiu-se para o seu quarto, onde ficou encerrado até o dia seguinte.

* * *

No dia seguinte, na ocasião em que Malvina ia sair para dar as suas lições, recebeu um bilhete de Tibério Valença. O pai de Tomás dava o ensino de Elisa por acabado e mandava-lhe o saldo de contas.

Malvina não compreendeu esta despedida tão positiva e tão humilhante. A que podia atribuí-la? Em vão indagou se a memória lhe apresentava um fato que pudesse justificar ou explicar o bilhete, e não achou.

Resolveu ir à casa de Tibério Valença e ouvir da própria boca dele as causas que faziam dispensar tão bruscamente as suas lições à menina Elisa.

Tibério Valença não estava em casa. Estava só Elisa. Tomás estava, mas encerrara-se no quarto, de onde só saíra à hora do almoço por instâncias do pai.

Elisa recebeu a pianista com certa frieza que bem se via ser estudada. O coração pedia-lhe outra coisa.

À primeira reclamação de Malvina acerca do estranho bilhete que recebera, Elisa respondeu que não sabia. Mas tão mal fingiu a ignorância, tão difícil e doloroso lhe foi a resposta, que Malvina, compreendendo que alguma coisa havia no fundo com que não queria contrariá-la, pediu positivamente a Elisa que o dissesse, prometendo nada referir. Elisa disse à pianista que o amor de Tomás por ela estava descoberto, e que o pai levava a mal esse amor, tendo lançado mão do meio da despedida para afastá-la da casa e da convivência de Tomás.

Malvina, que amava sincera e apaixonadamente o irmão de Elisa, chorou ao ouvir esta notícia.

Mas as lágrimas que faziam? O ato estava consumado; a despedida estava feita; só havia uma coisa a fazer: sair e não pôr mais os pés na casa de Tibério Valença.

Foi o que Malvina resolveu fazer. Levantou-se e despediu-se de Elisa.

Esta, que, apesar de tudo, tinha um fundo de afeição pela pianista, perguntou-lhe se não ficava mal com ela.

— Mal por quê? — perguntou a pianista. — Não, não fico. — E saiu enxugando as lágrimas.

* * *

Estava desfeita a situação que podia continuar a avassalar o coração de Tomás. O pai não parou, e procedeu, no ponto de vista em que se colocava, com uma lógica cruel. Tratou primeiramente de afastar o filho da corte por alguns meses, de maneira que a ação do tempo pudesse apagar no coração e na memória do rapaz o amor e a imagem de Malvina.

— É isto — dizia consigo Tibério Valença —, não há outro meio. Longe esquece-lhe tudo. A tal pianista não é lá essas belezas que impressionem muito.

O narrador protesta contra esta última reflexão de Tibério Valença, que, de certo, na idade que contava, já se esquecera dos predicados da beleza e dos milagres da simpatia que fazem amar às feias. E até quando as feias se fazem amar, é sempre doida e perdidamente, diz La Bruyère, porque foi de certo por filtros poderosos e vínculos desconhecidos que elas souberam atrair e prender.

Tibério Valença não admitia a hipótese de amar a uma feia, nem de amar muito tempo uma bonita. Era desta negação que ele partia, como homem sensual e positivo que era. Resolveu, portanto, mandar o filho para fora, e comunicou-lhe o projeto oito dias depois das cenas que acima narrei.

Tomás recebeu a notícia com aparente indiferença. O pai ia armado de objeções para responder às que lhe dispensasse o rapaz, e ficou muito admirado quando este curvou-se submisso à ordem de partir.

Entretanto aproveitou a ocasião para usar de alguma cordura e generosidade.

— Fazes gosto em ir? — perguntou-lhe.

— Faço, meu pai — foi a resposta de Tomás. Era à Bahia que devia ir o filho de Tibério.

Desde o dia desta conferência Tomás mostrou-se mais e mais triste, sem todavia manifestar a ninguém com que sentimento recebera a notícia de deixar o Rio de Janeiro. Tomás e Malvina só se tinham encontrado duas vezes depois do dia em que esta foi despedida da casa de Tibério. A primeira foi à porta da casa dela. Tomás passava na ocasião em que Malvina ia entrar. Falaram-se.

Não era preciso nenhum deles perguntar se sentiam saudades com a ausência e a separação. O ar de ambos dizia tudo. Tomás, às interrogações de Malvina, disse que passava ali sempre, e sempre via as janelas fechadas. Cuidou um dia que ela estivesse doente.

— Não estive doente: é preciso que nos esqueçamos um do outro. Se eu não puder, seja...

— Eu? — interrompeu Tomás.

— É preciso — respondeu a pianista suspirando.

— Nunca — disse Tomás.

A segunda vez que se viram foi em casa de um amigo cuja irmã recebia lições de Malvina. Estava lá o moço na ocasião em que a pianista entrou. Malvina pretextou doença, e disse que só para não ser esperada em vão tinha ido lá. Depois do que, retirou-se.

Tomás resolveu ir despedir-se de Malvina. Seus esforços, porém, foram inúteis. Em casa sempre lhe diziam que ela tinha saído, e as janelas constantemente fechadas pareciam as portas do túmulo do amor dos dois.

Na véspera de partir Tomás convenceu-se de que era impossível despedir-se da moça. Desistiu de procurá-la e resolveu-se, com mágoa, a sair do Rio de Janeiro sem dar-lhe o adeus de despedida.

"Nobre moça!", dizia ele consigo; "não quer que do nosso encontro resulte atear-se o amor que me prende a ela".

Enfim Tomás partiu.

Tibério deu-lhe todas as cartas e ordens necessárias para que nada lhe faltasse na Bahia, e soltou do peito um suspiro de consolação quando o filho saiu à barra.

* * *

Malvina soube da partida de Tomás logo no dia seguinte. Chorou amargamente. Por que sairia? Ela acreditou que dois motivos seriam: ou resolução corajosa para esquecer um amor que lhe trouxera o desgosto do pai; ou uma intimação cruel do pai. De um ou outro modo, Malvina estimava esta separação. Se ela não esquecia o rapaz, tinha esperanças de que o rapaz a esquecesse, e então não sofria com esse amor que só podia trazer desgraças ao filho de Tibério Valença.

Este nobre pensamento denota claramente o caráter elevado e desinteressado e o amor profundo e corajoso da pianista. Tanto bastava para que ela merecesse casar com o rapaz.

Quanto a Tomás, partiu com o coração apertado e o ânimo abatido. À última hora foi que ele sentiu quanto amava a moça e como nesta separação lhe sangrava o coração. Mas devia partir. Afogou a dor em lágrimas e partiu.

* * *

Correram dois meses.

Durante os primeiros dias de sua residência na Bahia, Tomás sentiu as grandes saudades do grande amor que nutria por Malvina. Fez-se-lhe em torno maior solidão ainda que a que já tinha. Parecia-lhe que ia morrer naquele desterro, sem a luz e o calor que lhe dava vida. Estando, por assim dizer, a dois passos do Rio de Janeiro, afigurava-se-lhe achar-se no cabo do mundo, longe, eternamente longe, infinitamente longe de Malvina.

O correspondente de Tibério Valença, previamente informado por este, procurou todos os meios de distrair o espírito de Tomás. Tudo foi em vão. Tomás olhava para tudo com indiferença, isto mesmo quando lhe era dado olhar, porque quase sempre passava os dias encerrado em casa, recusando toda a espécie de distração.

Esta mágoa tão profunda tinha eco em Malvina. A pianista sentia do mesmo modo a ausência de Tomás; não é que tivesse ocasião ou procurasse vê-lo, na época em que se achava na corte, mas é que, separados pelo mar, parecia que estavam separados pela morte, e que nunca mais tinham de ver-se.

Ora, Malvina desejava ver Tomás amando outra, estimado pelo pai, mas queria vê-lo. Este amor de Malvina, que se apascentava com a felicidade da outra, e só com a vista do objeto amado, este amor não diminuiu, cresceu na ausência, e cresceu muito. A moça nem já podia conter as suas lágrimas; vertia-as insensivelmente todos os dias.

* * *

Um dia Tomás recebeu uma carta de seu pai participando-lhe que Elisa se ia casar com um jovem deputado. Tibério Valença fazia do futuro genro a pintura mais lisonjeira. Era a todos os respeitos um homem distinto e digno da estima de Elisa.

Tomás aproveitou a ocasião, e na resposta que deu a essa carta apresentou a Tibério Valença a ideia de fazê-lo voltar para assistir ao casamento de sua irmã. E procurou lembrar isto no tom mais indiferente e frio deste mundo.

Tibério Valença quis responder positivamente que não; mas, forçado a dar minuciosamente as razões da negativa, e não querendo tocar no assunto, tomou a resolução de não responder senão depois de concluído o casamento, a fim de lhe tirar o pretexto de novo pedido da mesma natureza.

Tomás estranhou o silêncio do pai. Não escreveu outra carta pela razão de que a insistência fá-lo-ia desconfiar. Demais, o silêncio de Tibério Valença, que ao princípio lhe pareceu estranho, tinha uma explicação própria e natural. Essa explicação foi a verdadeira causa do silêncio. Tomás compreendeu e calou-se.

Mas, passados os dois meses, nas vésperas do casamento de Elisa, apareceu Tomás no Rio de Janeiro. Saíra da Bahia inopinadamente, sem que o correspondente de Tibério Valença pudesse obstar.

Chegando ao Rio de Janeiro foi o seu primeiro cuidado ir à casa de Malvina. Naturalmente não lhe podiam negar a entrada, visto não haver ordem neste sentido por saber-se que ele estava na Bahia.

Tomás, que dificilmente se pudera conter nas saudades que sentiu por Malvina, chegara ao estado de lhe ser impossível continuar ausente. Procurou iludir a vigilância do correspondente de seu pai, e na primeira ocasião pôs em execução o projeto concebido. Durante a viagem, à proporção que se aproximava do porto desejado, expandia-se o coração do rapaz e nasciam-lhe ânsias cada vez maiores de pôr o pé em terra.

Como já disse, a primeira casa a que Tomás se dirigiu foi a de Malvina. O fâmulo disse que esta se achava em casa, e Tomás entrou. Quando a pianista soube que Tomás estava na sala soltou um grito de alegria, manifestação espontânea do coração, e correu ao encontro dele.

O encontro foi como devia ser o de dois corações que se amam e que tornam a ver-se depois de longa ausência. Pouco disseram, na santa efusão das almas, que falavam em silêncio e se comunicavam por esses meios simpáticos e secretos do amor.

Depois, vieram as indagações sobre as saudades de cada um. Era aquela a primeira vez que tinham ocasião de dizerem francamente o que sentiam um pelo outro.

A pergunta natural de Malvina foi esta:

— Abrandou-se a crueldade de seu pai?

— Não — respondeu Tomás.

— Como, não?

— Não. Vim sem ele saber.

— Ah!

— Não podia mais estar naquele desterro. Era necessidade para o coração e para a vida...

— Oh! Fez mal...

— Fiz o que devia.

— Mas, seu pai...
— Meu pai ralhará comigo; mas paciência; acho-me disposto a afrontar tudo. Depois de consumado o fato, meu pai é sempre pai, e nos perdoará...
— Oh! Nunca!
— Como, nunca? Recusa ser minha mulher?
— Essa seria a minha felicidade; mas quisera sê-lo com honra.
— Que mais honra?
— Um casamento clandestino não nos ficaria bem. Se ambos fôssemos pobres ou ricos, sim; mas a desigualdade das nossas fortunas...
— Oh! Não faças essa consideração.
— É essencial.
— Não, não digas isso... Há de ser minha mulher ante Deus e ante os homens. Que valem as fortunas neste caso? Uma coisa nos iguala: é a nobreza moral, é o amor que nos liga. Não entremos nessas miseráveis considerações do cálculo e do egoísmo. Sim?
— Isto é o fogo da paixão... Dirás sempre o mesmo?
— Oh! Sempre!

Tomás ajoelhou aos pés de Malvina. Tomou-lhe as mãos entre as dele e beijou-as com beijos de ternura...

Teresa entrou na sala, justamente na ocasião em que Tomás se levantava. Uns minutos antes que fosse encontraria aquele quadro de amor.

Malvina apresentou Tomás a sua mãe. Parece que Teresa já alguma coisa sabia dos amores da filha. Na conversa com Tomás deixou escapar palavras equívocas que deram lugar a que o filho de Tibério Valença expusesse à velha os seus projetos e os seus amores.

As objeções da velha foram idênticas às da filha. Também ela via na situação esquerda do rapaz em relação ao pai uma razão de impossibilidade para o casamento.

Desta primeira entrevista saiu Tomás, alegre por ver Malvina, triste pela singular oposição de Malvina e de Teresa.

* * *

Em casa de Tibério Valença faziam-se preparativos para o casamento de Elisa.

O noivo era um jovem deputado de província, se do Norte ou do Sul, não sei, mas deputado cujo talento supria os anos de prática, e que começava a influir na situação. Acrescia que era dono de uma boa fortuna pela recente morte do pai.

Tais considerações decidiram Tibério Valença. Ter por genro um homem abastado, gozando de uma certa posição política, talvez ministro dentro de pouco tempo, era um partido de grande valor. Neste ponto a alegria de Tibério Valença era legítima. E como os noivos se amavam deveras, condição que Tibério Valença dispensaria se necessário fosse, esta união tornou-se aos olhos de todos uma união natural e propícia.

A alegria de Tibério Valença não podia ser maior. Tudo lhe corria às mil maravilhas. Casava a filha ao sabor dos seus desejos, e tinha longe o filho desnaturado, que talvez àquela hora já começasse a arrepender-se das veleidades amorosas que tivera. Preparava-se enxoval, faziam-se convites, compravam-se mil coisas necessárias à casa do pai e à da filha, e tudo esperava ansioso o dia aprazado para o casamento de Elisa. Ora, no meio dessa satisfação plena e geral, caiu subitamente como um raio o filho desterrado, conviva que se não contara para a festa.

A alegria de Tibério Valença ficou assim um tanto aguada. Apesar de tudo não quis romper absolutamente com o filho, e, sinceramente ou não, o primeiro que falou a Tomás não foi o algoz, foi o pai.

Tomás disse que viera para assistir ao casamento da irmã e conhecer o cunhado.

Apesar desta declaração Tibério Valença determinou sondar o espírito do filho no capítulo dos amores. Guardou-se para o dia seguinte.

E no dia seguinte, logo depois do almoço, Tibério Valença deu familiarmente o braço ao filho e levou-o para uma sala retirada. Aí, depois de fazê-lo sentar, perguntou-lhe se o casamento, se outro motivo o trouxera tão inopinadamente ao Rio de Janeiro.

Tomás hesitou.

– Fala, disse o pai, fala com franqueza.

– Pois bem, vim por dois motivos: pelo casamento e por outro...

– O outro é o mesmo?

– Quer franqueza, meu pai?

– Exijo.

– É...

– Está bem. Lavo as mãos. Casa-te, consinto; mas nada mais terás de mim. Nada, ouviste?

E dizendo isto Tibério Valença saiu. Tomás ficou pensativo.

Era um consentimento aquilo. Mas de que natureza? Tibério Valença dizia que, em se casando, o filho não esperasse nada do pai. Que não esperasse os bens da fortuna, pouco ou nada era para Tomás. Mas aquele nada estendia-se a tudo, talvez à proteção paterna, talvez ao amor paterno. Esta consideração de que perderia a afeição do pai calava muito no espírito do filho.

A esperança nunca abandonou os homens. Tomás concebeu a esperança de convencer o pai com o andar dos tempos.

Entretanto, passaram-se os dias e concluiu-se o casamento da filha de Tibério Valença. No dia do casamento, como nos outros, Tibério Valença tratou o filho com uma sequidão nada paternal. Tomás sentia-se por isso, mas a vista de Malvina, a cuja casa ia regularmente três vezes por semana, dissipava as aflições para dar-lhe novas esperanças, e novos desejos de completar a ventura que procurava.

O casamento de Elisa coincidiu com a retirada do deputado para a província natal. A mulher acompanhou o marido, e, a instâncias do pai, ficou convencionado que no ano seguinte viriam estabelecer-se definitivamente no Rio de Janeiro.

O tratamento de Tibério Valença em relação a Tomás continuou a ser o mesmo: frio e reservado. Em vão procurava o moço um ensejo para tocar de frente a questão e trazer o pai a sentimentos mais compassivos; o pai esquivava-se sempre.

Mas se era assim por um lado, por outro os desejos legítimos do amor de Tomás por Malvina cresciam mais e mais, dia por dia. A luta que se dava no coração de Tomás, entre o amor de Malvina e o respeito aos desejos de seu pai, foi fraquejando, cabendo o triunfo ao amor. Os esforços do moço eram inúteis, e finalmente um dia chegou em que foi-lhe necessário decidir entre as determinações do pai e o amor pela pianista.

E a pianista? Essa era mulher e amava perdidamente o filho de Tibério Valença. Também uma luta interna se dava no espírito dela, mas à força do amor que alimentava ligavam-se as instâncias continuadas de Tomás. Este objetava-lhe que, uma vez casados, a clemência do pai reapareceria, e tudo se terminaria em bem. Tal estado de coisas prolongou-se até um dia em que não foi mais possível a ambos recuar. Sentiram que a existência dependia do casamento.

Tomás encarregou-se de falar a Tibério. Era o *ultimatum*.

Uma noite em que Tibério Valença pareceu mais alegre que de ordinário, Tomás deu um passo afoitamente para a questão, dizendo-lhe que, depois de vãos esforços, reconhecera que a paz da sua existência dependia do casamento com Malvina.

– Então casas-te? – perguntou Tibério Valença.

– Venho pedir-lhe...

– Já disse o que devias esperar de mim se desses semelhante passo. Não passarás por ignorante. Casa-te; mas quando te arrependeres ou a necessidade te bater à porta, escusas de voltar o rosto para teu pai. Supõe que ele está pobre e nada te pode dar.

Esta resposta de Tibério Valença agradou em parte a Tomás. Não entrava nas palavras do pai a consideração do afeto que lhe negaria, mas o auxílio que não lhe havia de prestar em caso de necessidade. Ora, este auxílio era o que Tomás dispensava, uma vez que se pudesse unir a Malvina. Contava com algum dinheiro que possuía e tinha esperanças de arranjar dentro de pouco tempo um emprego público.

Não deu outra resposta a Tibério Valença senão a de que estava determinado a realizar o casamento.

Diga-se em honra de Tomás, não foi sem algum remorso que ele tomou uma determinação que parecia contrariar os desejos e os sentimentos do pai. É certo que a linguagem deste excluía toda a consideração de ordem moral para valer-se de uns preconceitos miseráveis, mas ao filho não competia, de certo, apreciá-los e julgá-los. Tomás hesitou mesmo depois da entrevista com Tibério Valença, mas a presença de Malvina, a cuja casa foi logo, dissipou todos os receios e pôs termo a todas as hesitações. O casamento efetuou-se pouco tempo depois, sem comparecimento do pai, nem de parente algum de Tomás.

* * *

O fim do ano de 1850 não trouxe incidente algum à situação da família Valença. Tomás e Malvina viviam no gozo da mais deliciosa felicidade. Unidos depois de tanto tropeço e hesitação, entraram na estância da bem-aventurança conjugal coroados de mirto e de rosas. Eram moços e ardentes; amavam-se no mesmo grau; tinham chorado saudades e ausências. Que melhores condições para que aquelas duas almas, no momento do consórcio legal, achassem uma ternura elevada e celeste, e se confundissem no ósculo santo do casamento?

Todas as luas de mel se parecem. A diferença está na duração. Dizem que a lua de mel não pode ser perpétua, e para desmentir este ponto não tenho o direito da experiência. Todavia, creio que a asserção é arriscada demais. Que a intensidade do amor do primeiro tempo diminua com a ação do mesmo tempo, isso creio: é da própria condição humana. Mas essa diminuição não é de certo tamanha como se afigura a muitos, se o amor subsiste à lua de mel, menos intenso é verdade, mas ainda bastante claro para dar luz ao lar doméstico.

A lua de mel de Tomás e Malvina tinha certo caráter de perpetuidade.

* * *

No princípio do ano de 1851 adoeceu Tibério Valença.

Foi ao princípio moléstia passageira, em aparência ao menos; mas surgiram complicações novas, e ao cabo de quinze dias declarou-se Tibério Valença gravemente enfermo.

Um excelente médico, que era de muito tempo o médico da casa, começou a tratá-lo no meio dos maiores cuidados. Não hesitou, no fim de alguns dias, em declarar que nutria receios pela vida do doente.

Apenas soube da moléstia do pai, Tomás foi visitá-lo. Era a terceira vez, depois do casamento. Nas duas primeiras Tibério Valença tratou-o com tal frieza e reserva que Tomás julgou dever deixar que o tempo, remédio a tudo, modificasse um tanto os sentimentos do pai.

Mas agora o caso era diferente. Tratava-se de uma moléstia grave e do perigo de vida de Tibério Valença. Tudo desaparecera diante deste dever.

Quando Tibério Valença viu Tomás ao pé do leito de dor em que jazia manifestou certa expressão que era sinceramente de pai. Tomás chegou-se a ele e beijou-lhe a mão. Tibério mostrou-se satisfeito com esta visita do filho.

Os dias correram e a moléstia de Tibério Valença, em vez de diminuir, lavrava e começava a destruir-lhe a vida. Houve consultas de facultativos. Tomás indagou deles sobre o estado real de seu pai, e a resposta que teve foi que se não era desesperado, era ao menos gravíssimo.

Tomás pôs em atividade tudo quanto podia tornar à vida o autor dos seus dias.

Dias e dias passava junto do leito do velho, muitas vezes sem comer e sem dormir.

Um dia, em que voltava para casa, após longas horas de insônia, veio Malvina saindo-lhe ao encontro e abraçá-lo, como de costume, mas com ar de ter alguma coisa a pedir-lhe. Com efeito, depois de abraçá-lo, e indagar do estado de Tibério Valença, pediu-lhe que desejava ir, poucas horas que fossem, cuidar como enfermeira do sogro.

Tomás acedeu a esse pedido.

No dia seguinte Tomás disse ao pai quais eram os desejos de Malvina. Tibério Valença ouviu com sinais de satisfação as palavras do filho, e, depois de este concluir, respondeu-lhe que aceitava contente a oferta dos serviços da nora.

Malvina foi no mesmo dia começar os seus serviços de enfermeira. Tudo em casa mudou como por encanto.

A doce e discreta influência da mulher deu nova direção aos arranjos necessários à casa e à aplicação dos medicamentos.

Tinha crescido a gravidade da moléstia de Tibério Valença. Era uma febre que o trazia constantemente, ou delirante, ou sonolento.

Por isso durante os primeiros dias da estada de Malvina em casa do doente, este de nada pôde saber.

Foi só depois que a força da ciência conseguiu restituir a Tibério Valença as esperanças de vida e alguma tranquilidade, que o pai de Tomás descobriu a presença da nova enfermeira.

Em tais circunstâncias os preconceitos só dominam os espíritos inteiramente pervertidos. Tibério Valença, apesar da exageração dos seus sentimentos, não estava ainda no caso. Acolheu a nora com um sorriso de benevolência e de gratidão.

– Muito obrigado – disse ele.
– Está melhor?
– Estou.
– Ainda bem.
– Há muitos dias que está aqui?
– Há alguns.
– Nada sei do que se tem passado. Parece que acordo de um longo sono. Que tive eu?
– Delírios e constantes sonolências.
– Sim?
– É verdade.
– Mas estou melhor, estou salvo?
– Está.
– Dizem os médicos?
– Dizem e vê-se logo.
– Ah! Graças a Deus.

Tibério Valença respirou como um homem que aprecia a vida no grau máximo. Depois, acrescentou:

– Ora, quanto trabalho teve comigo!...
– Nenhum...
– Como nenhum?
– Era preciso haver alguém que dirigisse a casa. Bem sabe que as mulheres são essencialmente donas de casa. Não quero encarecer o que fiz; eu pouco fiz, fi-lo por dever. Mas quero ser leal declarando qual foi o pensamento que me trouxe aqui.
– A senhora tem bom coração.

Tomás entrou neste momento.

– Oh! Meu pai! – disse ele.
– Adeus, Tomás.
– Está melhor?

Estou. Sinto e dizem os médicos que estou melhor.
— Está, sim.
— Estava a agradecer à tua mulher...
Malvina acudiu logo:
— Deixemos isso para depois.

Desde o dia em que Tibério Valença teve este diálogo com a nora e o filho a cura foi-se operando gradualmente. No fim de um mês entrou Tibério Valença em convalescença. Estava excessivamente magro e fraco. Só podia andar apoiado a uma bengala e ao ombro de um criado. Tomás substituiu muitas vezes o criado a chamado do próprio pai. Neste ínterim foi Tomás contemplado na pretensão que tinha a um emprego público.

Progrediu a convalescença do velho, e os facultativos aconselharam uma mudança para o campo.

Faziam-se os preparativos da mudança quando Tomás e Malvina anunciaram a Tibério Valença que, dispensando-se agora os seus cuidados, e devendo Tomás entrar no exercício do emprego que obtivera, tornava-se necessária a separação.

— Então não me acompanham? perguntou o velho.

Ambos repetiram as razões que tinham, procurando do melhor modo não ofender a suscetibilidade do pai e do enfermo.

Pai e enfermo cederam às razões e efetuou-se a separação no meio dos protestos reiterados de Tibério Valença que agradecia d'alma os serviços que os dois lhe haviam prestado.

Tomás e Malvina seguiram para casa, e o convalescente partiu para o campo.

* * *

A convalescença de Tibério Valença não teve incidente algum.

No fim de quarenta dias estava pronto para outra, como se diz popularmente, e o velho com toda a criadagem voltou para a cidade.

Não fiz menção de visita alguma da parte dos parentes de Tibério Valença durante a moléstia deste, não porque eles não tivessem visitado o parente enfermo, mas porque essas visitas não trazem circunstância alguma nova no caso.

Todavia pede a fidelidade histórica que eu as mencione agora. Os parentes, últimos que restavam à família Valença, reduziam-se a dois velhos primos, uma prima e um sobrinho, filho desta. Estas criaturas foram algum tanto assíduas durante o perigo da moléstia, mas escassearam as visitas desde que tiveram ciência de que a vida de Tibério não corria risco.

Convalescente, Tibério Valença não recebeu uma só visita desses parentes. O único que o visitou algumas vezes foi Tomás, mas sem a mulher.

Estando completamente restabelecido e tendo voltado à cidade, a vida da família continuou a mesma que anteriormente à moléstia.

Esta circunstância foi observada por Tibério Valença. Apesar da sincera gratidão com que ele acolheu a nora apenas tornara a si, Tibério Valença não pôde afugentar do espírito um pensamento desonroso para a mulher do seu filho. Dava o desconto necessário às qualidades morais de Malvina, mas interiormente acreditava que o procedimento dela não fosse isento de cálculo.

Este pensamento era lógico no espírito de Tibério Valença. No fundo do enfermo agradecido havia o homem calculista, o pai interesseiro, que olhava tudo pelo prisma estreito e falso do interesse e do cálculo, e a quem parecia que não se podia fazer uma boa ação sem laivos de intenções menos confessáveis.

Menos confessáveis é paráfrase do narrador; no fundo, Tibério Valença admitia como legítimo o cálculo dos dois filhos.

Tibério Valença imaginava que Tomás e Malvina, procedendo como procederam, tinham tido mais de um motivo que os determinasse. Não eram só, no espírito de Tibério Valença, o amor e a dedicação filial; era ainda um meio de ver se lhe abrandavam os rancores, se lhe armavam à fortuna.

Nesta convicção estava, e com ela esperava a continuação dos cuidados oficiosos de Malvina. Imagine-se qual não foi a surpresa do velho, vendo que cessada a causa das visitas dos dois, causa real que ele tinha por aparente, nenhum deles apresentou o mesmo procedimento anterior. A confirmação seria se, pilhada a aberta, Malvina aproveitasse para fazer da sua presença em casa de Tibério Valença uma necessidade. Isto pensava o pai de Tomás, e pensava, neste caso, com acerto.

* * *

Correram dias e dias, e a situação não mudou.

Tomás lembrara uma vez a necessidade de visitar com Malvina a casa paterna. Malvina, porém, recusou, e quando as instâncias de Tomás a obrigaram a uma declaração mais peremptória, declarou ela positivamente que a continuação das suas visitas poderia parecer a Tibério Valença uma pretensão ao esquecimento do passado e aos conchegos do futuro.

– Melhor é – disse ela – não irmos; antes passemos por descuidados que por ávidos ao dinheiro de teu pai.

– Meu pai não pensará isso – disse Tomás.

– Pode pensar...

— Creio que não... Meu pai está mudado: é outro. Ele já te reconhece; não te fará injustiça.
— Está bom, veremos depois.

E depois desta conversa nunca mais se falou nisso, sendo que Tomás não encontrou na resistência de Malvina senão um motivo mais para amá-la e respeitá-la.

* * *

Tibério Valença, desenganado a respeito da expectativa em que estava, resolveu ir um dia em pessoa visitar a nora.

Era isto nem mais nem menos o reconhecimento solene de um casamento que desaprovara. Esta consideração, tão intuitiva em si, não se apresentou ao espírito de Tibério Valença.

Malvina estava só quando à porta parou o carro de Tibério Valença. Esta visita inesperada causou-lhe verdadeira surpresa.

Tibério Valença entrou com um sorriso nos lábios, sintoma de bonança do espírito, que não escapou à ex-professora de piano.

— Não me querem ir ver, venho eu vê-los. Onde está meu filho?
— Na repartição.
— Quando volta?
— Às três e meia.
— Já não posso vê-lo. Há muitos dias que ele não vai. Quanto à senhora, creio que decididamente nunca mais lá volta...
— Não tenho podido...
— Por quê?
— Ora, isso não se pergunta a uma dona de casa.
— Então tem muito que fazer?...
— Muito.
— Oh! Mas nem meia hora pode dispensar? E que tanto trabalho é esse?

Malvina sorriu-se.

— Como lhe hei de explicar? Há tanta coisa miúda, tanto trabalho que não aparece, enfim coisas de casa. E se nem sempre estou ocupada, estou muitas vezes preocupada, e outras simplesmente cansada...
— Creio que um bocadinho mais de vontade...
— Falta de vontade? Não creia nisso...
— É ao menos o que parece.

Houve um momento de silêncio. Malvina, para mudar o rumo da conversação, perguntou a Tibério como se achava e se não tinha receios da recaída.

Tibério Valença respondeu, com ar de preocupação, que se achava bom e que não tinha receios de nada, antes se achava esperançado de gozar ainda longa vida e boa saúde.

— Tanto melhor — disse Malvina.

Tibério Valença, sempre que Malvina se distraía, corria os olhos em redor da sala para examinar o valor dos móveis e avaliar por eles a posição do filho.

Os móveis eram singelos e sem essa profusão e multiplicidade dos móveis das salas abastadas. O chão tinha um palmo de palhinha ou uma fibra de tapete. O que se destacava era um rico piano, presente de alguns discípulos, feito a Malvina no dia em que esta se casou.

Tibério Valença, contemplando a modéstia dos móveis da casa de seu filho, era levado a uma comparação forçada entre eles e os de sua casa, onde o luxo e o gosto davam as mãos.

Depois deste exame minucioso, interrompido pela conversação que continuava sempre, Tibério Valença deixou cair um olhar sobre uma pequena mesa ao pé da qual se achava Malvina.

Sobre essa mesa estavam umas roupas de criança.

— Cose para fora? — perguntou Tibério Valença.

— Não, por que pergunta?

— Vejo ali aquela roupa...

Malvina olhou para o lugar indicado pelo sogro.

— Ah! — disse ela.

— Que roupa é aquela?

— É de meu filho.

— De seu filho?

— Ou filha; não sei.

— Ah!

Tibério Valença olhou fixamente para Malvina, e quis falar. Mas causou-lhe tal impressão a serenidade daquela mulher cuja família se ia aumentar e que olhava tão impavidamente para o futuro, que a voz se lhe embargou e não pôde pronunciar palavra.

"Efetivamente", pensava ele, "aqui há alguma coisa especial, alguma força sobre-humana que sustenta estas almas. Será isto o amor?".

Tibério Valença dirigiu algumas palavras à nora e saiu deixando lembranças para o filho e instando para que ambos fossem visitá-lo.

Poucos dias depois da cena que acabamos de contar chegaram ao Rio de Janeiro Elisa e seu marido.

Vinham estabelecer-se definitivamente na corte.

A primeira visita foi para o pai, de cuja moléstia tinham sabido na província.

Tibério Valença recebeu-os com grande alvoroço. Beijou a filha, abraçou o genro, com uma alegria infantil.

* * *

Nesse dia houve em casa grande jantar, para o qual não se convidou ninguém além dos que habitualmente frequentavam a casa.

O marido de Elisa, antes de pôr casa, devia ficar em casa do sogro, e quando comunicou este projeto a Tibério Valença, este acrescentou que não se iriam mesmo sem aceitar um baile.

O aditamento foi aceito.

O baile foi marcado para o sábado próximo, isto é, exatamente oito dias depois. Tibério Valença estava contentíssimo.

Tudo andou logo na maior azáfama. Tibério Valença queria provar com o esplendor da festa o grau de estima em que tinha a filha e o genro.

Desde então filha e genro, genro e filha, tais foram os dois polos em que volteava a imaginação de Tibério Valença.

Enfim o dia de sábado chegou.

À tarde houve um jantar dado a alguns poucos amigos, os mais íntimos, mas jantar esplêndido, porque Tibério Valença não quis que um só ponto da festa desdissesse do resto.

Entre os convidados para o jantar veio um que informou o dono da casa de que outro convidado não vinha, por ter grande soma de trabalho a dirigir.

Era exatamente um dos mais íntimos e melhores convivas.

Tibério Valença não se deu por convencido com o recado, e resolveu escrever-lhe uma carta exigindo a presença dele no jantar e no baile.

Em virtude disto foi ao gabinete, abriu a gaveta, tirou papel e escreveu uma carta que mandou *incontinenti*.

Mas, no momento de guardar de novo o papel que tirara da gaveta, reparou que entre duas folhas se resvalara uma cartinha por letra de Tomás.

Estava aberta. Era uma carta, já antiga, que Tibério Valença recebera e atirara para dentro da gaveta. Foi a carta em que Tomás participava ao pai o dia do seu casamento com Malvina.

Essa carta, que em mil outras ocasiões lhe estivera debaixo dos olhos sem maior comoção, desta vez não deixou de impressioná-lo.

Abriu a carta e leu-a. Era de redação humilde e afetuosa.

Veio à mente de Tibério Valença a visita que fizera à mulher de Tomás.

O quadro da vida modesta e pobre daquele jovem casal apresentou-se-lhe de novo aos olhos. Comparou esse quadro mesquinho com o quadro esplêndido que apresentava a casa dele, onde um jantar e um baile iam reunir amigos e parentes.

Depois viu a doce resignação da moça que vivia contente no meio da parcimônia, só porque tinha o amor e a felicidade do marido. Esta resignação afigurou-se-lhe um exemplo raro, tanto lhe parecia impossível sacrificar o gozo e o supérfluo às santas afeições do coração.

Enfim o neto que lhe aparecia no horizonte, e para o qual Malvina já confeccionava o enxoval, tomou mais viva e decisiva ainda a impressão de Tibério Valença.

Uma espécie de remorso fez-lhe doer a consciência. A nobre moça, a quem ele tratara tão desabridamente, o filho, para quem ele fora um pai tão cruel, tinham cuidado com verdadeiro carinho o mesmo homem de quem receberam a ofensa e o desagrado. Tibério Valença refletia tudo isto passeando no gabinete. Dali ouvia o rumor dos fâmulos que preparavam o lauto jantar. Enquanto ele e os seus amigos e parentes iam apreciar os mais delicados manjares, que comeriam naquele dia Malvina e Tomás? Tibério Valença estremeceu diante desta pergunta que lhe fazia a consciência. Aqueles dois filhos que ele expelira tão desamorosamente e que com tanta generosidade lhe haviam pago não tinham naquele dia nem a milésima parte do supérfluo da casa paterna. Mas esse pouco que tivessem era, com certeza, comido em paz, na branda e doce alegria do lar doméstico.

As ideias dolorosas que assaltaram o espírito de Tibério Valença fizeram com que ele esquecesse inteiramente os convivas que se achavam nas salas.

Isto que se operava em Tibério Valença era uma nesga da natureza, ainda não tocada pelos preconceitos, e bem assim o remorso de uma ação má que havia cometido.

Isto e mais a influência da felicidade de que atualmente era objeto Tibério Valença produziram o melhor resultado. O pai de Tomás tomou uma resolução definitiva; mandou aprontar o carro e saiu.

Foi direito à casa de Tomás.

Este sabia da grande festa que se preparava em casa do pai para celebrar a chegada de Elisa e seu marido.

Assim que a entrada de Tibério Valença em casa de Tomás causou a este grande expectação.

— Por aqui, meu pai?
— É verdade. Passei, entrei.
— Como está a mana?
— Está boa. Ainda não foste vê-la?
— Contava ir amanhã, que é dia livre.

– Ora, se eu lhes propusesse uma coisa...
– Ordene, meu pai.
Tibério Valença dirigiu-se a Malvina e tomou-lhe as mãos.
– Escute – disse ele. – Vejo que há na sua alma grande nobreza, e se nem a riqueza, nem os antepassados ilustram o seu nome, vejo que resgata estas faltas por outras virtudes. Abrace-me como pai.
Tibério, Malvina e Tomás abraçaram-se em um só grupo.
– É preciso – acrescentou o pai – que vão hoje lá a casa. E já.
– Já? – perguntou Malvina.
– Já.
Daí a meia hora apeavam os três à porta da casa de Tibério Valença.
O pai arrependido apresentava aos amigos e aos parentes, aqueles dois filhos que tão cruelmente quisera excluir da comunhão da família.
Este ato de Tibério Valença veio a tempo de reparar o mal, e assegurar a paz futura dos seus velhos anos. A conduta generosa e honrada de Tomás e de Malvina valeram esta reparação.
Isto prova que a natureza pode comover a natureza, e que uma boa ação tem a faculdade muitas vezes de destruir o preconceito e restabelecer a verdade do dever.
Não pareça improvável ou violenta esta mudança no espírito de Tibério. As circunstâncias favoreceram essa mudança, para a qual o principal motivo foi a resignação de Malvina e de Tomás.
Fibra paternal, mais desvencilhada, naquele dia, dos liames de uma consideração social mal entendida, pôde palpitar livremente e mostrar em Tibério Valença um fundo melhor do que as suas aparências cruéis. Tanto é verdade que, se a educação modifica a natureza, a natureza pode em suas exigências mais absolutas readquirir os seus direitos e manifestar a sua força.
Com a declaração de que foram sempre felizes os heróis deste conto deita--se-lhe um ponto-final.

A SEGUNDA VIDA

Monsenhor Caldas interrompeu a narração do desconhecido:
— Dá licença? É só um instante.
Levantou-se, foi ao interior da casa, chamou o preto velho que o servia, e disse-lhe em voz baixa:
— João, vai ali à estação de urbanos, fala da minha parte ao comandante, e pede-lhe que venha cá com um ou dois homens, para livrar-me de um sujeito doido. Anda, vai depressa.
E, voltando à sala:
— Pronto – disse ele. – Podemos continuar.
— Como ia dizendo a Vossa Reverendíssima, morri no dia 20 de março de 1860, às cinco horas e quarenta e três minutos da manhã. Tinha então 68 anos de idade. Minha alma voou pelo espaço, até perder a terra de vista, deixando muito abaixo a lua, as estrelas e o sol; penetrou finalmente num espaço em que não havia mais nada, e era clareado tão somente por uma luz difusa. Continuei a subir, e comecei a ver um pontinho mais luminoso ao longe, muito longe. O ponto cresceu, fez-se sol. Fui por ali dentro, sem arder, porque as almas são incombustíveis. A sua pegou fogo alguma vez?
— Não, senhor.
— São incombustíveis. Fui subindo, subindo; na distância de quarenta mil léguas, ouvi uma deliciosa música, e logo que cheguei a cinco mil léguas, desceu um enxame de almas, que me levaram num palanquim feito de éter e plumas. Entrei daí a pouco no novo sol, que é o planeta dos virtuosos da terra. Não sou poeta, monsenhor; não ouso descrever-lhe as magnificências daquela estância divina. Poeta que fosse, não poderia, usando a linguagem humana, transmitir-lhe a emoção da grandeza, do deslumbramento, da felicidade, os êxtases, as melodias, os arrojos de luz e cores, uma coisa indefinível e incompreensível. Só vendo. Lá dentro é que soube que completava mais um milheiro de almas; tal era o motivo das festas extraordinárias que me fizeram, e que duraram dois séculos, ou, pelas nossas contas, quarenta e oito horas. Afinal, concluídas as festas, convidaram-me a tornar à terra para cumprir uma vida nova; era o privilégio de cada alma que completava um milheiro. Respondi agradecendo e recusando, mas não havia recusar. Era uma lei eterna. A única liberdade que me

deram foi a escolha do veículo; podia nascer príncipe ou condutor de ônibus. Que fazer? Que faria Vossa Reverendíssima no meu lugar?

— Não posso saber; depende...

— Tem razão; depende das circunstâncias. Mas imagine que as minhas eram tais que não me davam gosto a tornar cá. Fui vítima da inexperiência, monsenhor, tive uma velhice ruim, por essa razão. Então lembrou-me que sempre ouvira dizer a meu pai e outras pessoas mais velhas, quando viam algum rapaz: "Quem me dera aquela idade, sabendo o que sei hoje!". Lembrou-me isto, e declarei que me era indiferente nascer mendigo ou potentado, com a condição de nascer experiente. Não imagina o riso universal com que me ouviram. Jó, que ali preside a província dos pacientes, disse-me que um tal desejo era disparate; mas eu teimei e venci. Daí a pouco escorreguei no espaço: gastei nove meses a atravessá-lo até cair nos braços de uma ama de leite, e chamei-me José Maria. Vossa Reverendíssima é Romualdo, não?

— Sim, senhor; Romualdo de Sousa Caldas.

— Será parente do padre Sousa Caldas?

— Não, senhor.

— Bom poeta o padre Caldas. Poesia é um dom; eu nunca pude compor uma décima. Mas, vamos ao que importa. Conto-lhe primeiro o que me sucedeu; depois lhe direi o que desejo de Vossa Reverendíssima. Entretanto, se me permitisse ir fumando...

Monsenhor Caldas fez um gesto de assentimento, sem perder de vista a bengala que José Maria conservava atravessada sobre as pernas. Este preparou vagarosamente um cigarro. Era um homem de trinta e poucos anos, pálido, com um olhar ora mole e apagado, ora inquieto e centelhante. Apareceu ali, tinha o padre acabado de almoçar, e pediu-lhe uma entrevista para negócio grave e urgente. Monsenhor fê-lo entrar e sentar-se; no fim de dez minutos, viu que estava com um lunático. Perdoava-lhe a incoerência das ideias ou o assombroso das invenções; pode ser até que lhe servissem de estudo. Mas o desconhecido teve um assomo de raiva, que meteu medo ao pacato clérigo. Que podiam fazer ele e o preto, ambos velhos, contra qualquer agressão de um homem forte e louco? Enquanto esperava o auxílio policial, monsenhor Caldas desfazia-se em sorrisos e assentimentos de cabeça, espantava-se com ele, alegrava-se com ele, política útil com os loucos, as mulheres e os potentados. José Maria acendeu finalmente o cigarro, e continuou:

— Renasci em cinco de janeiro de 1861. Não lhe digo nada da nova meninice, porque aí a experiência teve só uma forma instintiva. Mamava pouco; chorava o menos que podia para não apanhar pancada. Comecei a andar tarde, por medo de cair, e daí me ficou uma tal ou qual fraqueza nas pernas. Correr e rolar, trepar nas árvores, saltar paredões, trocar murros, coisas tão úteis, nada disso fiz, por medo de contusão e sangue. Para falar com franqueza, tive uma infância aborrecida, e a escola não o foi menos. Chamavam-me tolo e moleirão. Realmente, eu vivia fugindo de tudo. Creia que durante esse tempo não escorreguei, mas também não corria nunca. Palavra, foi um tempo de aborrecimento; e, comparando as cabeças quebradas de outro tempo com o tédio de hoje, antes as cabeças quebradas. Cresci; fiz-me rapaz, entrei no período dos amores... Não se assuste; serei casto, como a primeira ceia. Vossa Reverendíssima sabe o que é uma ceia de rapazes e mulheres?

– Como quer que saiba?...

– Tinha dezenove anos – continuou José Maria – e não imagina o espanto dos meus amigos, quando me declarei pronto a ir a uma tal ceia... Ninguém esperava tal coisa de um rapaz tão cauteloso, que fugia de tudo, dos sonos atrasados, dos sonos excessivos, de andar sozinho a horas mortas, que vivia, por assim dizer, às apalpadelas. Fui à ceia; era no Jardim Botânico, obra esplêndida. Comidas, vinhos, luzes, flores, alegria dos rapazes, os olhos das damas, e, por cima de tudo, um apetite de vinte anos. Há de crer que não comi nada? A lembrança de três indigestões apanhadas quarenta anos antes, na primeira vida, fez-me recuar. Menti dizendo que estava indisposto. Uma das damas veio sentar-se à minha direita, para curar-me; outra levantou-se também, e veio para a minha esquerda, com o mesmo fim. Você cura de um lado, eu curo do outro, disseram elas. Eram lépidas, frescas, astuciosas, e tinham fama de devorar o coração e a vida dos rapazes. Confesso-lhe que fiquei com medo e retraí-me. Elas fizeram tudo, tudo; mas em vão. Vim de lá de manhã, apaixonado por ambas, sem nenhuma delas, e caindo de fome. Que lhe parece? – concluiu José Maria pondo as mãos nos joelhos, e arqueando os braços para fora.

– Com efeito...

– Não lhe digo mais nada; Vossa Reverendíssima adivinhará o resto. A minha segunda vida é assim uma mocidade expansiva e impetuosa, enfreada por uma experiência virtual e tradicional. Vivo como Eurico, atado ao próprio cadáver... Não, a comparação não é boa. Como lhe parece que vivo?

– Sou pouco imaginoso. Suponho que vive assim como um pássaro, batendo as asas e amarrado pelos pés...

– Justamente. Pouco imaginoso? Achou a fórmula; é isso mesmo. Um pássaro, um grande pássaro, batendo as asas, assim...

José Maria ergueu-se, agitando os braços, à maneira de asas. Ao erguer-se, caiu-lhe a bengala no chão; mas ele não deu por ela. Continuou a agitar os braços, em pé, defronte do padre, e a dizer que era isso mesmo, um pássaro, um grande pássaro... De cada vez que batia os braços nas coxas, levantava os calcanhares, dando ao corpo uma cadência de movimentos, e conservava os pés unidos, para mostrar que os tinha amarrados. Monsenhor aprovava de cabeça; ao mesmo tempo afiava as orelhas para ver se ouvia passos na escada. Tudo silêncio. Só lhe chegavam os rumores de fora: carros e carroças que desciam, quitandeiras apregoando legumes, e um piano da vizinhança. José Maria sentou-se finalmente, depois de apanhar a bengala, e continuou nestes termos:

— Um pássaro, um grande pássaro. Para ver quanto é feliz a comparação, basta a aventura que me traz aqui, um caso de consciência, uma paixão, uma mulher, uma viúva, dona Clemência. Tem vinte e seis anos, uns olhos que não acabam mais, não digo no tamanho, mas na expressão, e duas pinceladas de buço, que lhe completam a fisionomia. É filha de um professor jubilado. Os vestidos pretos ficam-lhe tão bem que eu às vezes digo-lhe rindo que ela não enviuvou senão para andar de luto. Caçoadas! Conhecemo-nos há um ano, em casa de um fazendeiro de Cantagalo. Saímos namorados um do outro. Já sei o que me vai perguntar: por que é que não nos casamos, sendo ambos livres...

— Sim, senhor.

— Mas, homem de Deus! É essa justamente a matéria da minha aventura. Somos livres, gostamos um do outro, e não nos casamos: tal é a situação tenebrosa que venho expor a Vossa Reverendíssima, e que a sua teologia ou o que quer que seja, explicará, se puder. Voltamos para a Corte namorados. Clemência morava com o velho pai, e um irmão empregado no comércio; relacionei-me com ambos, e comecei a frequentar a casa, em Matacavalos. Olhos, apertos de mão, palavras soltas, outras ligadas, uma frase, duas frases, e estávamos amados e confessados. Uma noite, no patamar da escada, trocamos o primeiro beijo... Perdoe estas coisas, monsenhor; faça de conta que me está ouvindo de confissão. Nem eu lhe digo isto senão para acrescentar que saí dali tonto, desvairado, com a imagem de Clemência na cabeça e o sabor do beijo na boca. Errei cerca de duas horas, planeando uma vida única; determinei pedir-lhe a mão no fim da semana, e casar daí a um mês. Cheguei às derradeiras minúcias, cheguei a redigir e ornar de cabeça as cartas de participação. Entrei em casa depois de meia-noite, e toda essa fantasmagoria voou, como as mutações à vista nas antigas peças de teatro. Veja se adivinha como.

— Não alcanço...

— Considerei, no momento de despir o colete, que o amor podia acabar depressa; tem-se visto algumas vezes. Ao descalçar as botas, lembrou-me coisa pior: podia ficar o fastio. Concluí a toilette de dormir, acendi um cigarro, e, reclinado no canapé, pensei que o costume, a convivência, podia salvar tudo; mas, logo depois adverti que as duas índoles podiam ser incompatíveis; e que fazer com duas índoles incompatíveis e inseparáveis? Mas, enfim, dei de barato tudo isso, porque a paixão era grande, violenta; considerei-me casado, com uma linda criancinha... Uma? Duas, seis, oito; podiam vir oito, podiam vir dez; algumas aleijadas. Também podia vir uma crise, duas crises, falta de dinheiro, penúria, doenças; podia vir alguma dessas afeições espúrias que perturbam a paz doméstica... Considerei tudo e concluí que o melhor era não casar. O que não lhe posso contar é o meu desespero; faltam-me expressões para lhe pintar o que padeci nessa noite... Deixa-me fumar outro cigarro?

Não esperou resposta, fez o cigarro, e acendeu-o. Monsenhor não podia deixar de admirar-lhe a bela cabeça, no meio do desalinho próprio do estado; ao mesmo tempo notou que ele falava em termos polidos, e, que apesar dos rompantes mórbidos, tinha maneiras. Quem diabo podia ser esse homem? José Maria continuou a história, dizendo que deixou de ir à casa de Clemência, durante seis dias, mas não resistiu às cartas e às lágrimas. No fim de uma semana correu para lá, e confessou-lhe tudo, tudo. Ela ouviu-o com muito interesse, e quis saber o que era preciso para acabar com tantas cismas, que prova de amor queria que ela lhe desse. A resposta de José Maria foi uma pergunta.

— "Está disposta a fazer-me um grande sacrifício?", disse-lhe eu. Clemência jurou que sim. "Pois bem, rompa com tudo, família e sociedade; venha morar comigo; casamo-nos depois desse noviciado." Compreendo que Vossa Reverendíssima arregale os olhos. Os dela encheram-se de lágrimas; mas, apesar de humilhada, aceitou tudo. Vamos; confesse que sou um monstro.

— Não, senhor...

— Como não? Sou um monstro. Clemência veio para minha casa, e não imagina as festas com que a recebi. "Deixo tudo, disse-me ela; você é para mim o universo." Eu beijei-lhe os pés, beijei-lhe os tacões dos sapatos. Não imagina o meu contentamento. No dia seguinte, recebi uma carta tarjada de preto; era a notícia da morte de um tio meu, em Santana do Livramento, deixando-me vinte mil contos. Fiquei fulminado. "Entendo", disse a Clemência, "você sacrificou tudo, porque tinha notícia da herança". Desta vez, Clemência não chorou, pegou em si e saiu. Fui atrás dela, envergonhado, pedi-lhe perdão; ela resistiu. Um dia, dois dias, três dias, foi tudo vão; Clemência não cedia nada, não falava sequer. Então declarei-lhe que me mataria; comprei um revólver, fui ter com ela, e apresentei-lho: é este.

Monsenhor Caldas empalideceu. José Maria mostrou-lhe o revólver, durante alguns segundos, tornou a metê-lo na algibeira, e continuou:

— Cheguei a dar um tiro. Ela, assustada, desarmou-me e perdoou-me. Ajustamos precipitar o casamento, e, pela minha parte, impus uma condição: doar os vinte mil contos à Biblioteca Nacional. Clemência atirou-se-me aos braços, e aprovou-me com um beijo. Dei os vinte mil contos. Há de ter lido nos jornais... Três semanas depois casamo-nos. Vossa Reverendíssima respira como quem chegou ao fim. Qual! Agora é que chegamos ao trágico. O que posso fazer é abreviar umas particularidades e suprimir outras; restrinjo-me a Clemência. Não lhe falo de outras emoções truncadas, que são todas as minhas, abortos de prazer, planos que se esgarçam no ar, nem das ilusões de saia rota, nem do tal pássaro... plás... plás... plás...

E, de um salto, José Maria ficou outra vez de pé, agitando os braços, e dando ao corpo uma cadência. Monsenhor Caldas começou a suar frio. No fim de alguns segundos, José Maria parou, sentou-se, e reatou a narração, agora mais difusa, mais derramada, evidentemente mais delirante. Contava os sustos em que vivia, desgostos e desconfianças. Não podia comer um figo às dentadas, como outrora; o receio do bicho diminuía-lhe o sabor. Não cria nas caras alegres da gente que ia pela rua: preocupações, desejos, ódios, tristezas, outras coisas, iam dissimuladas por umas três quartas partes delas. Vivia a temer um filho cego ou surdo-mudo, ou tuberculoso, ou assassino, etc. Não conseguia dar um jantar que não ficasse triste logo depois da sopa, pela ideia de que uma palavra sua, um gesto da mulher, qualquer falta de serviço podia sugerir o epigrama digestivo, na rua, debaixo de um lampião. A experiência dera-lhe o terror de ser empulhado. Confessava ao padre que, realmente, não tinha até agora lucrado nada; ao contrário, perdera até, porque fora levado ao sangue... Ia contar-lhe o caso do sangue. Na véspera, deitara-se cedo, e sonhou... Com quem pensava o padre que ele sonhou?

— Não atino...

— Sonhei que o Diabo lia-me o Evangelho. Chegando ao ponto em que Jesus fala dos lírios do campo, o Diabo colheu alguns e deu-mos. "Toma", disse-me ele, "são os lírios da Escritura; segundo ouviste, nem Salomão em toda a pompa, pode ombrear com eles. Salomão é a sapiência. E sabes o que são estes lírios, José? São os teus vinte anos". Fitei-os encantado; eram lindos como não imagina. O Diabo pegou deles, cheirou-os e disse-me que os cheirasse também. Não lhe digo nada; no momento de os chegar ao nariz, vi sair de dentro um réptil fedorento e torpe, dei um grito, e arrojei para longe as flores. Então, o Diabo, escancarando uma formidável gargalhada: "José Maria, são os teus vinte anos". Era uma gargalhada assim: cá, cá, cá, cá, cá...

José Maria ria à solta, ria de um modo estridente e diabólico. De repente, parou; levantou-se, e contou que, tão depressa abriu os olhos, como viu a mulher diante dele aflita e desgrenhada. Os olhos de Clemência eram doces, mas ele disse-lhe que os olhos doces também fazem mal. Ela arrojou-se-lhe aos pés... Neste ponto a fisionomia de José Maria estava tão transtornada que o padre, também de pé, começou a recuar, trêmulo e pálido. "Não, miserável! Não! Tu não me fugirás!", bradava José Maria investindo para ele. Tinha os olhos esbugalhados, as têmporas latejantes; o padre ia recuando... recuando... Pela escada acima ouvia-se um rumor de espadas e de pés.

A VIDA ETERNA

É OPINIÃO UNÂNIME que não há estado comparável àquele que nem é sono nem vigília, quando, desafogado o espírito de aflições, procura algum repouso às lides da existência. Eu de mim digo que ainda não achei hora de mais prazer, sobretudo quando tenho o estômago satisfeito e aspiro a fumaça de um bom charuto de Havana.

Depois de uma ceia copiosa e delicada, em companhia de meu excelente amigo o doutor Vaz, que me apareceu em casa depois de dois anos de ausência, fomos eu e ele para a minha alcova, e aí entramos a falar de coisas passadas, como dois velhos para quem já não tem futuro a gramática da vida.

Vaz estava assentado numa cadeira de espaldar, toda forrada de couro, igual às que ainda hoje se encontram nas sacristias; e eu estendi-me em um sofá também de couro. Ambos fumávamos dois excelentes charutos que me haviam mandado de presente alguns dias antes.

A conversa, pouco animada ao princípio, foi esmorecendo cada vez mais, até que eu e ele, sem deixarmos o charuto da boca, cerramos os olhos e entramos no estado a que aludi acima, ouvindo os ratos que passeavam no forro da casa, mas inteiramente esquecidos um do outro.

Era natural passarmos dali ao sono completo, e eu lá chegaria, se não ouvisse bater à porta três fortíssimas pancadas. Levantei-me sobressaltado; Vaz continuava na mesma posição, o que me fez supor que estivesse dormindo, porque as pancadas deviam ter-lhe produzido a mesma impressão se ele se achasse meio acordado como eu.

Fui ver quem me batia à porta. Era um sujeito alto e magro embuçado em um capote. Apenas lhe abri a porta, o homem entrou sem me pedir licença, e nem dizer coisa nenhuma. Esperei que me expusesse o motivo da sua visita, e esperei debalde, porque o desconhecido sentou-se comodamente em uma cadeira, cruzou as pernas, tirou o chapéu e começou a tocar com os dedos na copa do dito chapéu uma coisa que eu não pude saber o que era, mas que devia ser alguma sinfonia de doidos, porque o homem parecia vir direitinho da Praia Vermelha.

Relanceei os olhos para o meu amigo, que dormia a sono solto na cadeira de espaldar. Os ratos continuavam a sua saturnal no forro.

Conservei-me de pé durante poucos instantes a ver se o desconhecido se resolvia a dizer alguma coisa, e durante esse tempo, apesar da impressão desagradável que o homem produzia em mim, examinei-lhe as feições e o vestuário.

Já disse que vinha embrulhado em um capote; ao sentar-se, abriu-se-lhe o capote, e vi que o homem calçava umas botas de couro branco, vestia calça de pano amarelo e um colete verde, cores estas que, se estão bem numa bandeira, não se pode com justiça dizer que adornem e aformoseiem o corpo humano.

As feições eram mais estranhas que o vestuário; tinha os olhos vesgos, um grande bigode, um nariz à moda de César, boca rasgada, queixo saliente e beiços roxos. As sobrancelhas eram fartas, as pestanas longas, a testa estreita, coroando tudo uns cabelos grisalhos e em desordem.

O desconhecido, depois de tocar a sua música na copa do chapéu, levantou os olhos para mim, e disse-me:

– Sente-se, meu rico senhor!

Era atrevimento receber eu ordens em minha própria casa. O meu primeiro dever era mandar o sujeito embora; contudo, o tom em que ele falou era tão intimativo que eu insensivelmente obedeci e fui sentar-me no sofá. Daí pude ver melhor a cara do homem, à luz do lampião que pendia do teto, e achei-a pior do que antes.

– Chamo-me Tobias e sou formado em matemáticas. – Inclinei-me levemente.

O desconhecido continuou:

– Desconfio de que hei de morrer amanhã; não se espante; tenho certeza de que amanhã vou para o outro mundo. Isso é o menos; morrer é dormir, *to die, to sleep*; entretanto, não quero ir deste mundo sem cumprir um dever imperioso e indispensável. Veja isto.

O desconhecido tirou do bolso um quadrinho e entregou-me. Era uma miniatura; representava uma moça formosíssima de feições. Restituí o quadro ao meu interlocutor esperando a explicação.

– Esse retrato – continuou ele olhando para a miniatura – é de minha filha Eusébia, moça de 22 anos, senhora de uma riqueza igual à de um Creso, porque é a minha única herdeira.

Eu me espantaria do contraste que havia entre a riqueza e a aparência do desconhecido se não tivesse já a convicção de que tratava com um doido. O que eu estava a ver era o meio de pôr o homem pela porta fora; mas confesso que receava algum conflito, e por isso esperei o resultado daquilo tudo.

Entretanto perguntava a mim mesmo como é que os meus escravos deixaram entrar um desconhecido até a porta do meu quarto, apesar das ordens especiais que eu havia dado em contrário. Já eu calculava mentalmente a natureza do castigo que lhes daria por causa de tamanha incúria ou cumplicidade, quando o desconhecido atirou-me estas palavras à cara:

– Antes de morrer quero que o senhor se case com Eusébia; é esta a proposta que venho fazer-lhe; sendo que, no caso de aceitar o casamento, já aqui lhe deixo este maço de notas do banco para alfinetes, e no caso de recusar mando-lhe simplesmente uma bala a cabeça com este revólver que aqui trago.

E pôs à mesa o maço de bilhetes do banco e o revólver engatilhado.

A cena tomava um aspecto dramático. O meu primeiro ímpeto foi acordar o doutor Vaz, a ver se ajudado por ele punha o homem pela porta fora; mas receei, e com razão, que vendo um gesto meu nesse sentido, o desconhecido executasse a segunda parte do seu discurso.

Só havia um meio: ladear.

– Meu rico senhor Tobias, é inútil dizer-lhe que eu sinto imensa satisfação com a proposta que me faz, e está longe de mim a ideia de recusar a mão de tão formosa criatura, e mais os seus contos de réis. Entretanto, peço-lhe que repare na minha idade; tenho setenta anos; a senhora dona Eusébia apenas conta vinte e dois. Não lhe parece um sacrifício isto que vamos impor à sua filha?

Tobias sorriu, olhou para o revólver, e entrou a tocar com os dedos na copa do chapéu.

– Longe de mim – continuei eu – a ideia de ofendê-lo; pelo contrário, se eu consultasse unicamente a minha ambição não diria palavra; mas é no interesse mesmo dessa gentilíssima dama, que eu já vou amando apesar dos meus setenta, e no interesse dela que eu lhe observo a disparidade que entre nós existe.

Estas palavras disse-as eu em voz alta a ver se o doutor Vaz acordava; mas o meu amigo continuava mergulhado na cadeira e no sono.

– Não quero saber de sua idade – disse Tobias pondo o chapéu na cabeça e segurando no revólver. – O que eu quero é que se case com Eusébia, e hoje mesmo. Se recusa, mato-o.

Tobias apontou-me o revólver. Que faria eu naquela alternativa, senão aceitar a moça e a riqueza, apesar de todos os meus escrúpulos?

– Caso! – exclamei.

Tobias guardou o revólver na algibeira, e disse:

– Pois bem, vista-se.

– Já?

– Sem demora. Vista-se enquanto eu leio. – Levantou-se, foi à minha estante, tirou um volume do *Dom Quixote*, e foi sentar-se outra vez; e enquanto eu, mais morto que vivo, ia buscar ao guarda-roupa a minha casaca, o desconhecido tomou uns óculos e preparou-se para ler.

— Quem é este sujeito que está dormindo tão tranquilo? — perguntou ele enquanto limpava os óculos.

— É o doutor Vaz, meu amigo; quer que lhe apresente?

— Não, senhor, não é preciso — respondeu Tobias sorrindo maliciosamente.

Vesti-me com vagar para dar tempo a que algum incidente viesse interromper aquela cena desagradável para mim. Além disso estava trêmulo, não atinava com a roupa, nem com a maneira de vestir.

De quando em quando deitava um olhar para o desconhecido, que lia tranquilamente a obra do imortal Cervantes.

O meu relógio bateu onze horas.

Subitamente lembrou-me que, uma vez na rua, podia eu ter o recurso de encontrar um policial a quem comunicaria a minha situação, conseguindo ver-me livre do meu importuno sogro.

Outro recurso havia, e melhor que esse; vinha a ser acordar o doutor Vaz na ocasião da partida (coisa natural) e ajudado por ele desfazer-me do incógnito.

Efetivamente, vesti-me o mais depressa que pude, e declarei-me às ordens do senhor Tobias, que fechou o livro, foi pô-lo na estante, rebuçou-se no capote, e disse:

— Vamos!

— Peço-lhe entretanto para acordar o doutor Vaz, que não pode ficar aqui, visto que tem de voltar para casa — disse-lhe eu dando um passo para a cadeira onde dormia o Vaz.

— Não é preciso — atalhou Tobias. — Voltamos dentro de pouco tempo.

Não insisti; restava-me o recurso do policial, ou de algum escravo se pudesse falar-lhe a tempo; o escravo era impossível. Quando saímos do quarto o desconhecido deu-me o braço e desceu comigo rapidamente as escadas até a rua.

À porta de casa havia um carro. Tobias convidou-me a entrar nele.

Não tendo previsto este incidente, senti fraquear-me as pernas e perdi de todo a esperança de escapar do meu algoz. Resistir era impossível e arriscado; o homem estava armado com um argumento poderoso; e além disso, pensava eu, não se discute com um doido.

Entramos no carro.

Não sei quanto tempo andamos, nem por que caminho fomos; calculo que não ficou no Rio de Janeiro canto por onde não passássemos. No fim de longos e aflitivos séculos de angústia, parou o carro diante de uma casa toda iluminada por dentro.

— É aqui — disse o meu companheiro. — Desçamos.

A casa era um verdadeiro palácio; a entrada era ornada de colunas de ordem dórica, o vestíbulo calçado de mármore branco e preto, e iluminado por um magnífico candelabro de bronze de forma antiga.

Subimos, eu e ele, por uma magnífica escada de mármore, até o topo, onde se achavam duas pequenas estátuas representando Mercúrio e Minerva. Quando chegamos ali o meu companheiro disse-me apontando para as estátuas:

– São emblemas, meu caro genro: Minerva quer dizer Eusébia, porque é a sabedoria; Mercúrio, sou eu, porque representa o comércio.

– Então o senhor é comerciante? – perguntei eu ingenuamente ao desconhecido.

– Fui negociante na Índia.

Atravessamos duas salas, e ao chegarmos à terceira encontramos um sujeito velho, a quem Tobias me apresentou dizendo:

– Aqui está o doutor Camilo da Anunciação; leve-o para a sala dos convidados, enquanto eu vou mudar de roupa. Até já, meu caro genro.

E deu-me as costas.

O sujeito velho, que eu soube depois ser o mordomo da casa, tomou-me pela mão e levou-me a uma grande sala, que era onde se achavam os convidados.

Apesar da profunda impressão que me causava aquela aventura, confesso que a riqueza da casa me assombrava cada vez mais, e não só a riqueza, senão também o gosto e a arte com que estava preparada.

A sala dos convidados estava fechada quando lá chegamos; o mordomo bateu três pancadas, e veio abrir a porta um lacaio, também velho, que me segurou pela mão, ficando o mordomo do lado de fora.

Nunca me há de esquecer a vista da sala apenas se me abriram as portas. Tudo ali era estranho e magnífico. No fundo, em frente da porta de entrada, havia uma grande águia de madeira fingindo bronze, encostada à parede, com as asas abertas, e preparando-se como para voar. Do bico da águia pendia um espelho, cuja parte inferior estava presa às garras, conservando assim a posição inclinada que costuma ter um espelho de parede.

A sala não era forrada de papel, mas de seda branca, o teto artisticamente trabalhado; grandes candelabros, magnífica mobília, flores em profusão, tapetes, tudo enfim quanto o luxo e o gosto sugerem ao espírito de um homem rico.

Os convidados eram poucos e, não sei por que coincidência, eram todos velhos, como o mordomo e o lacaio, e o meu próprio sogro; finalmente velhos como eu também. Introduzido pelo criado, fui logo cumprimentado pelas pessoas presentes com uma atenção que me dispôs logo o ânimo a querer-lhes bem.

Sentei-me numa cadeira, e vieram reunir-se em roda de mim, todos risonhos e satisfeitos por ver o genro do incomparável Tobias. Era assim que chamavam ao homem do revólver.

Acudi como pude às perguntas que me faziam, e parece que todas as minhas respostas contentavam aos convidados, porquanto de minuto a minuto choviam sobre mim louvores e cumprimentos.

Um dos convidados, homem de setenta anos, condecorado e calvo, disse com aplausos gerais:

— O Tobias não podia encontrar melhor genro, nem que andasse com uma lanterna por toda a cidade, que digo? Por todo o império; vê-se que o doutor Camilo da Anunciação é um perfeito cavalheiro, notável por seus talentos, pela gravidade da sua pessoa, e enfim pelos admiráveis cabelos brancos que lhe adornam a cabeça, mais feliz do que eu que os perdi há muito.

Suspirou o homem com tamanha força que parecia estar nos arrancos da morte. A assembleia cobriu de aplausos as últimas palavras do orador.

Articulei um agradecimento, e preparei imediatamente os ouvidos para responder a outro discurso que me foi dirigido por um coronel reformado, e outro finalmente por uma senhora que, desde a minha entrada, não tirava os olhos de mim.

— Senhora condessa — disse o coronel quando a senhora acabou de falar — confesse Vossa Excelência que os rapazes de hoje não valem este respeitável ancião, futuro genro do incomparável Tobias.

— Valem nada, coronel! Em matéria de noivos só o século passado os fornece capazes e bons. Casamentos de hoje! Abrenúncio! Uns peraltas todos pregadinhos e esticados, sem gravidade, sem dignidade, sem honestidade!

A conversa assentou toda neste assunto. O século dezenove sofreu ali um vasto processo; e (talvez preconceito de velho) falavam tão bem naquele assunto, com tanta discrição e acerto, que eu acabei por admirá-los.

No meio de tudo, estava ansioso por conhecer a minha noiva. Era a última curiosidade; e se ela fosse, como eu imaginava, uma beleza, e além do mais riquíssima, que poderia exigir da sorte?

Aventurei uma pergunta nesse sentido a uma senhora que se achava ao pé de mim e em frente à condessa. Disse-me ela que a noiva estava no toucador, e não tardava muito que eu a visse. Acrescentou que era linda como o sol.

Entretanto decorrera uma hora, e nem a noiva, nem o pai, o incomparável Tobias, aparecia na sala. Qual seria a causa da demora do meu futuro sogro? Para vestir-se não era preciso tanto tempo. Eu confesso que, apesar da cena do quarto e das disposições em que vi o homem, estaria mais tranquilo se ele estivesse presente. É que ao velho já eu tinha visto em minha casa; habituara-me aos seus gestos e discursos.

No fim de hora e meia abriu-se a porta para dar entrada a uma nova visita. Imaginem o meu pasmo quando dei com os olhos no meu amigo doutor Vaz! Não pude abafar um grito de surpresa, e corri para ele.

– Tu aqui!

– Ingrato! – respondeu sorrindo o Vaz. – Casas e não convidas ao teu primeiro amigo. Se não fosse esta carta ainda eu lá estaria no teu quarto à espera.

– Que carta? – perguntei eu.

O Vaz abriu a carta que trazia na mão e deu-me para ler, enquanto os convidados de longe contemplavam a cena inesperada, tanto por eles, como por mim.

A carta era de Tobias, e participava ao Vaz que, tendo eu de casar-me naquela noite, tomava ele a liberdade de convidá-lo, na qualidade de sogro, para assistir à cerimônia.

– Como vieste?

– Teu sogro mandou-me um carro.

Aqui fui obrigado a confessar mentalmente que o Tobias merecia o título de incomparável, como Enéas o de pio. Compreendi a razão por que não quis que eu o acordasse; era para causar-lhe a surpresa de vê-lo depois.

Como era natural, quis o meu amigo que eu lhe explicasse a história do casamento, tão súbito, e eu já me dispunha a isso, quando a porta se abriu e entrou o dono da casa. Era outro.

Já não tinha as roupas esquisitas e o ar singular com que o vira no meu quarto; agora trajava com aquela elegância grave que cabe a um velho, e pairava-lhe nos lábios o mais amável sorriso.

– Então, meu caro genro – disse-me ele depois dos cumprimentos gerais –, que me diz à vinda do seu amigo?

– Digo, meu caro sogro, que o senhor é uma pérola. Não imaginará talvez o prazer que me deu com esta surpresa, porque o Vaz foi e é o meu primeiro amigo.

Aproveitei a ocasião para o apresentar a todos os convidados, que foram de geral acordo em que o doutor Vaz era um digno amigo do doutor Camilo da Anunciação. O incomparável Tobias manifestou o desejo e a esperança de que dentro de pouco tempo ficaria a sua pessoa ligada à de nós ambos, por modo que fôssemos todos designados: os três amigos do peito.

Bateu meia-noite não sei em que igreja da vizinhança. Ergueu-se o incomparável Tobias, e disse-me:

— Meu caro genro, vamos cumprimentar a sua noiva; aproxima-se a hora do casamento.

Levantaram-se todos e dirigiram-se para a porta da entrada, indo na frente eu, o Tobias e o Vaz. Confesso que, de todos os incidentes daquela noite, este foi o que mais me impressionou. A ideia de ir ver uma formosa donzela, na flor da idade, que devia ser minha esposa, esposa de um velho filósofo já desenganado das ilusões da vida, essa ideia, confesso que me aterrou.

Atravessamos uma sala e chegamos diante de uma porta, meia aberta, dando para outra sala ricamente iluminada. Abriram a porta dois lacaios, e todos nós entramos.

Ao fundo, sentada num riquíssimo divã azul, estava já pronta e deslumbrante de beleza a senhora dona Eusébia. Tinha eu até então visto muitas mulheres de fascinar; nenhuma chegava aos pés daquela. Era uma criação de poeta oriental. Comparando a minha velhice à mocidade de Eusébia, senti-me envergonhado, e tive ímpetos de renunciar ao casamento. Fui apresentado à noiva pelo pai, e recebido por ela com uma afabilidade, uma ternura, que acabaram por vencer-me completamente. No fim de dois minutos estava eu cegamente apaixonado.

— Meu pai não podia escolher melhor marido para mim — disse-me ela fitando-me uns olhos claros e transparentes. — Espero que tenha a felicidade de corresponder aos seus méritos.

Balbuciei uma resposta; não sei o que disse; tinha os olhos embebidos nos dela. Eusébia levantou-se e disse ao pai:

— Estou pronta.

Pedi que Vaz fosse uma das testemunhas do casamento, o que foi aceito; a outra testemunha foi o coronel. A condessa serviu de madrinha.

Saímos dali para a capela, que era na mesma casa, e pouco retirada; já lá se achavam o padre e o sacristão. Eram ambos velhos como toda a gente que havia em casa, exceto Eusébia.

Minha noiva deu o sim com uma voz forte, e eu com voz fraquíssima; pareciam invertidos os papéis.

Concluído o casamento, ouvimos um pequeno discurso do padre acerca dos deveres que o casamento impõe e da santidade daquela cerimônia. O padre era um poço de ciência e um milagre de concisão; disse muito em pouquíssimas palavras. Soube depois que nunca tinha ido ao parlamento.

À cerimônia do casamento seguiu-se um ligeiro chá e alguma música. A condessa dançou um minueto com o velho condecorado, e assim terminou a festa.

Conduzido aos meus aposentos por todos os convidados, soube em caminho que o Vaz dormiria lá, por convite expresso do incomparável Tobias, que fez a mesma fineza aos circunstantes.

Quando me achei só com a minha noiva, caí de joelhos e disse-lhe com a maior ternura:

— Tanto vivi para encontrar agora, já quase no túmulo, a maior ventura que pode caber ao homem, porque o amor de uma mulher como tu é um verdadeiro presente do céu! Falo em amor e não sei se tenho direito de o fazer... porque eu sou velho, e tu...

— Cale-se! Cale-se! — disse-me Eusébia assustada. E foi cair num sofá com as mãos no rosto.

Espantou-me aquele movimento, e durante alguns minutos fiquei na posição em que estava, sem saber o que havia de dizer.

Eusébia parecia estar chorando.

Levantei-me afinal, e acercando-me do sofá, perguntei-lhe que motivo tinha para aquelas lágrimas.

Não me respondeu.

Tive uma suspeita; imaginei que Eusébia amava alguém, e que, para castigá-la do crime desse amor, obrigavam-na a casar com um velho desconhecido a quem ela não podia amar.

Despertou-se-me uma fibra de *Dom Quixote*. Era uma vítima; cumpria salvá-la. Aproximei-me de Eusébia, confiei-lhe a minha suspeita, e declarei-lhe a minha resolução.

Quando eu esperava vê-la agradecer-me de joelhos o nobre impulso das minhas palavras, vi com surpresa que a moça olhava para mim com ar de compaixão, e dizia-me abanando a cabeça:

— Desgraçado! É o senhor quem está perdido!

— Perdido! — exclamei eu dando um salto.

— Sim, perdido!

Cobriu-se-me a testa de um suor frio; as pernas entraram a tremer-me, e eu para não cair assentei-me ao pé dela no sofá. Pedi-lhe que me explicasse as suas palavras.

— Por que não? — disse ela. — Se lhe ocultasse seria cúmplice perante Deus, e Deus sabe que eu sou apenas um instrumento passivo nas mãos de todos esses homens. Escute. O senhor é o meu quinto marido; todos os anos, no mesmo dia e à mesma hora, dá-se nesta casa a cerimônia que o senhor presenciou. Depois, todos me trazem para aqui com o meu noivo, o qual...

— O qual? — perguntei eu suando.

— Leia — disse Eusébia indo tirar de uma cômoda um rolo de pergaminho.
— Há um mês que eu pude descobrir isto, e só há um mês tive a explicação dos meus casamentos todos os anos.

Abri trêmulo o rolo que ela me apresentava, e li fulminado as seguintes linhas:

> Elixir da eternidade, encontrado numa ruína do Egito, no ano de 402. Em nome da águia preta e dos sete meninos do Setentrião, salve. Quando se juntarem vinte pessoas e quiserem gozar do inapreciável privilégio de uma vida eterna, devem organizar uma associação secreta, e cear todos os anos no dia de São Bartolomeu, um velho maior de sessenta anos de idade, assado no forno, e beber vinho puro por cima.

Compreende alguém a minha situação? Era a morte que eu tinha diante de mim, a morte infalível, a morte dolorosa. Ao mesmo tempo era tão singular tudo quanto eu acabava de saber, parecia-me tão absurdo o meio de comprar a eternidade com um festim de antropófagos, que o meu espírito pairava entre a dúvida e o receio, acreditava e não acreditava, tinha medo e perguntava por quê?

— Essa é a sorte que o espera, senhor!
— Mas isto é uma loucura! — exclamei. — Comprar a eternidade com a morte de um homem! Demais, como sabe que este pergaminho tem relação?...
— Sei, senhor — respondeu Eusébia. — Não lhe disse eu que este casamento era o quinto? Onde estão os outros quatro maridos? Todos eles penetraram neste aposento para saírem meia hora depois. Alguém os vinha chamar, sob qualquer pretexto, e eu nunca mais os via. Desconfiei de alguma grande catástrofe; só agora sei o que é.

Entrei a passear agitado; era verdade que eu ia morrer? Era aquela a minha última hora de vida? Eusébia, assentada no sofá, olhava para mim e para a porta.

— Mas aquele padre, senhora — perguntei eu parando em frente dela —, aquele padre também é cúmplice?
— É o chefe da associação.
— E a senhora! Também é cúmplice, pois que as suas palavras foram um verdadeiro laço; se não fossem elas eu não aceitaria o casamento...
— Ai! Senhor! — respondeu Eusébia lavada em lágrimas. — Sou fraca, isso sim; mas cúmplice, jamais. Aquilo que lhe disse foi-me ensinado.

Nisto ouvi um passo compassado no corredor; eram eles naturalmente.

Eusébia levantou-se assustada e ajoelhou-se-me aos pés, dizendo com voz surda:

— Não tenho culpa de nada do que vai acontecer, mas perdoe-me a causa involuntária! Olhei para ela e disse-lhe que a perdoava.

Os passos aproximavam-se.

Dispus-me a vender caro a minha vida; mas não me lembrava que, além de não ter armas, faltavam-me completamente as forças.

Quem quer que vinha andando chegou à porta e bateu. Não respondi logo; mas insistindo de fora nas pancadas, perguntei:

— Quem está aí?

— Sou eu — respondeu-me Tobias com voz doce. — Queira abrir-me a porta.

— Para quê?

— Tenho de comunicar-lhe um segredo.

— A esta hora!

— É urgente.

Consultei Eusébia com os olhos; ela abanou tristemente a cabeça.

— Meu sogro, adiemos o segredo para amanhã.

— É urgentíssimo — respondeu Tobias — e para não lhe dar trabalho eu mesmo abro com outra chave que possuo.

Corri à porta, mas era tarde; Tobias estava na soleira, risonho como se fosse entrar num baile.

— Meu caro genro — disse ele. — Peço-lhe que venha comigo à sala da biblioteca; tenho de comunicar-lhe um importante segredo relativo à nossa família.

— Amanhã, não acha melhor? — disse eu.

— Não, há de ser já! — respondeu Tobias franzindo a testa.

— Não quero!

— Não quer! Pois há de ir.

— Bem sei que sou o seu quinto genro, meu caro senhor Tobias.

— Ah! Sabe! Eusébia contou-lhe os outros casamentos; tanto melhor! — E, voltando-se para a filha, disse com frieza de matar:

— Indiscreta! Vou dar-te o prêmio.

— Senhor Tobias, ela não tem culpa.

— Não foi ela quem lhe deu esse pergaminho? — perguntou o Tobias apontando para o pergaminho que eu ainda tinha na mão.

Ficamos aterrados!

Tobias tirou do bolso um pequeno apito e deu um assobio, ao qual responderam outros; e daí a alguns minutos estava a alcova invadida por todos os velhos da casa.

— Vamos à festa! — disse o Tobias.

Lancei mão de uma cadeira e ia atirar contra o sogro, quando Eusébia segurou-me no braço, dizendo:

– É meu pai!
– Não ganhas nada com isso – disse Tobias sorrindo diabolicamente. – Hás de morrer, Eusébia.
E segurando-a pelo pescoço entregou-a a dois lacaios dizendo:
– Matem-na.
A pobre moça gritava, mas em vão; os dois lacaios levaram-na para fora, enquanto os outros velhos seguraram-me pelos braços e pernas, e levaram-me em procissão para uma sala toda forrada de preto. Cheguei ali mais morto que vivo. Já lá achei o padre vestido de batina.
Quis ver antes de morrer o meu pobre amigo Vaz, mas soube pelo coronel que ele estava dormindo, e não sairia mais daquela casa; era o prato destinado ao ano futuro.
O padre declarou-me que era o meu confessor; mas eu recusei receber a absolvição do próprio que me ia matar. Queria morrer impenitente.
Deitaram-me em cima de uma mesa atado de pés e mãos, e puseram-se todos à roda de mim, ficando à minha cabeceira um lacaio armado com um punhal.
Depois entrou toda a companhia a entoar um coro em que eu só distinguia as palavras: Em nome da águia preta e dos sete meninos do Setentrião.
Corria-me o suor em bagas; eu quase nada via; a ideia de morrer era horrível, apesar dos meus setenta anos, em que já o mundo não deixa saudades.
Parou o coro e o padre disse com voz forte e pausada:
– Atenção! Faça o punhal a sua obra!
Luziu-me pelos olhos a lâmina do punhal, que se cravou todo no coração; o sangue jorrou-me do peito e inundou a mesa; eu entre convulsões mortais dei o último suspiro. Estava morto, completamente morto, e entretanto ouvia tudo à roda de mim; restava-me uma certa consciência deste mundo a que já não pertencia.
– Morreu? – perguntou o coronel.
– Completamente – respondeu Tobias. – Vão chamar agora as senhoras.
As senhoras chegaram dali a pouco, curiosas e alegres.
– Então? – perguntou a condessa. – Temos homem?
– Ei-lo.
As mulheres aproximaram-se de mim, e ouvi então um elogio unânime dos canibais; todos concordaram em que eu estava gordo e havia de ser excelente prato.
– Não podemos assá-lo inteiro; é muito alto e gordo; não cabe no forno; vamos esquartejá-lo; venham facas.
Estas palavras foram ditas pelo Tobias, que imediatamente distribuiu os papéis: o coronel cortar-me-ia a perna esquerda, o condecorado a direita, o

padre um braço, ele outro e a condessa, amiga de nariz de gente, cortaria o meu para comer de cabidela.

Vieram as facas, e começou a operação; confesso que eu não sentia nada; só sabia que me haviam cortado uma perna quando ela era atirada ao chão com estrépito.

— Bem, agora ao forno — disse Tobias. De repente ouvi a voz do Vaz.

— Que é isso, ó Camilo, que é isso? — dizia ele.

Abri os olhos e achei-me deitado no sofá em minha casa; Vaz estava ao pé de mim.

— Que diabo tens tu?

Olhei espantado para ele, e perguntei:

— Onde estão eles?

— Eles quem?

— Os canibais!

— Estás doido, homem!

Examinei-me: tinha as pernas, os braços e o nariz. O quarto era o meu. Vaz era o mesmo Vaz.

— Que pesadelo tiveste! — disse ele. — Estava eu a dormir quando acordei com os teus gritos.

— Ainda bem — disse eu.

Levantei-me, bebi água, e contei o sonho ao meu amigo, que riu muito, e resolveu passar a noite comigo. No dia seguinte, acordamos tarde e almoçamos alegremente. Ao sair, disse-me o Vaz:

— Por que não escreves o teu sonho para o Jornal das Famílias?

— Homem, talvez.

— Pois escreve, que eu o mando ao Garnier.

ADÃO E EVA

UMA SENHORA de engenho, na Bahia, pelos anos de mil setecentos e tantos, tendo algumas pessoas íntimas à mesa, anunciou a um dos convivas, grande lambareiro, um certo doce particular. Ele quis logo saber o que era; a dona da casa chamou-lhe curioso. Não foi preciso mais; daí a pouco estavam todos discutindo a curiosidade, se era masculina ou feminina, e se a responsabilidade da perda do paraíso devia caber a Eva ou a Adão. As senhoras diziam que a Adão, os homens que a Eva, menos o juiz-de-fora, que não dizia nada, e Frei Bento, carmelita, que interrogado pela dona da casa, dona Leonor:

— Eu, senhora minha, toco viola — respondeu sorrindo; e não mentia, porque era insigne na viola e na harpa, não menos que na teologia.

Consultado, o juiz-de-fora respondeu que não havia matéria para opinião; porque as coisas no paraíso terrestre passaram-se de modo diferente do que está contado no primeiro livro do Pentateuco, que é apócrifo. Espanto geral, riso do carmelita que conhecia o juiz-de-fora como um dos mais piedosos sujeitos da cidade, e sabia que era também jovial e inventivo, e até amigo da pulha, uma vez que fosse curial e delicada; nas coisas graves, era gravíssimo.

— Frei Bento — disse-lhe dona Leonor —, faça calar o senhor Veloso.

— Não o faço calar — acudiu o frade — porque sei que de sua boca há de sair tudo com boa significação.

— Mas a Escritura... — ia dizendo o mestre-de-campo João Barbosa.

— Deixemos em paz a Escritura — interrompeu o carmelita. — Naturalmente, o senhor Veloso conhece outros livros...

— Conheço o autêntico — insistiu o juiz-de-fora, recebendo o prato de doce que dona Leonor lhe oferecia — e estou pronto a dizer o que sei, se não mandam o contrário.

— Vá lá, diga.

— Aqui está como as coisas se passaram. Em primeiro lugar, não foi Deus que criou o mundo, foi o Diabo...

— Cruz! — exclamaram as senhoras.

— Não diga esse nome — pediu dona Leonor.

— Sim, parece que... — ia intervindo Frei Bento.

— Seja o Tinhoso. Foi o Tinhoso que criou o mundo; mas Deus, que lhe leu no pensamento, deixou-lhe as mãos livres, cuidando somente de corrigir ou atenuar a obra, a fim de que ao próprio mal não ficasse a desesperança da salvação ou do benefício. E a ação divina mostrou-se logo porque, tendo o Tinhoso criado as trevas, Deus criou a luz, e assim se fez o primeiro dia. No segundo dia, em que foram criadas as águas, nasceram as tempestades e os furacões; mas as brisas da tarde baixaram do pensamento divino. No terceiro dia foi feita a terra, e brotaram dela os vegetais, mas só os vegetais sem fruto nem flor, os espinhosos, as ervas que matam como a cicuta; Deus, porém, criou as árvores frutíferas e os vegetais que nutrem ou encantam. E tendo o Tinhoso cavado abismos e cavernas na terra, Deus fez o sol, a lua e as estrelas; tal foi a obra do quarto dia. No quinto foram criados os animais da terra, da água e do ar. Chegamos ao sexto dia, e aqui peço que redobrem de atenção.

Não era preciso pedi-lo; toda a mesa olhava para ele, curiosa.

Veloso continuou dizendo que no sexto dia foi criado o homem, e logo depois a mulher; ambos belos, mas sem alma, que o Tinhoso não podia dar, e só com ruins instintos. Deus infundiu-lhes a alma, com um sopro, e com outro os sentimentos nobres, puros e grandes. Nem parou nisso a misericórdia divina; fez brotar um jardim de delícias, e para ali os conduziu, investindo-os na posse de tudo. Um e outro caíram aos pés do Senhor, derramando lágrimas de gratidão. "Vivereis aqui", disse-lhe o Senhor, "e comereis de todos os frutos, menos o desta árvore, que é a da ciência do Bem e do Mal".

Adão e Eva ouviram submissos; e ficando sós, olharam um para o outro, admirados; não pareciam os mesmos. Eva, antes que Deus lhe infundisse os bons sentimentos, cogitava de armar um laço a Adão, e Adão tinha ímpetos de espancá-la. Agora, porém, embebiam-se na contemplação um do outro, ou na vista da natureza, que era esplêndida. Nunca até então viram ares tão puros, nem águas tão frescas, nem flores tão lindas e cheirosas, nem o sol tinha para nenhuma outra parte as mesmas torrentes de claridade. E dando as mãos percorreram tudo, a rir muito, nos primeiros dias, porque até então não sabiam rir. Não tinham a sensação do tempo. Não sentiam o peso da ociosidade; viviam da contemplação. De tarde iam ver morrer o sol e nascer a lua, e contar as estrelas, e raramente chegavam a mil, dava-lhes o sono e dormiam como dois anjos.

Naturalmente, o Tinhoso ficou danado quando soube do caso. Não podia ir ao paraíso, onde tudo lhe era avesso, nem chegaria a lutar com o Senhor; mas ouvindo um rumor no chão entre folhas secas, olhou e viu que era a serpente. Chamou-a alvoroçado.

— Vem cá, serpe, fel rasteiro, peçonha das peçonhas, queres tu ser a embaixatriz de teu pai, para reaver as obras de teu pai?

A serpente fez com a cauda um gesto vago, que parecia afirmativo; mas o Tinhoso deu-lhe a fala, e ela respondeu que sim, que iria onde ele a mandasse: às estrelas, se lhe desse as asas da águia; ao mar, se lhe confiasse o segredo de respirar na água; ao fundo da terra, se lhe ensinasse o talento da formiga. E falava a maligna, falava à toa, sem parar, contente e pródiga da língua; mas o diabo interrompeu-a:

— Nada disso, nem ao ar, nem ao mar, nem à terra, mas tão somente ao jardim de delícias, onde estão vivendo Adão e Eva.

— Adão e Eva?

— Sim, Adão e Eva.

— Duas belas criaturas que vimos andar há tempos, altas e direitas como palmeiras?

— Justamente.

— Oh! Detesto-os. Adão e Eva? Não, não, manda-me a outro lugar. Detesto-os! Só a vista deles faz-me padecer muito. Não hás de querer que lhes faça mal...

— É justamente para isso.

— Deveras? Então vou; farei tudo o que quiseres, meu senhor e pai. Anda, dize depressa o que queres que faça. Que morda o calcanhar de Eva? Morderei...

— Não — interrompeu o Tinhoso. — Quero justamente o contrário. Há no jardim uma árvore, que é a da ciência do Bem e do Mal; eles não devem tocar nela nem comer-lhe os frutos. Vai, entra, enrosca-te na árvore, e quando um deles ali passar, chama-o de mansinho, tira uma fruta e oferece-lhe, dizendo que é a mais saborosa fruta do mundo; se te responder que não, tu insistirás, dizendo que é bastante comê-la para conhecer o próprio segredo da vida. Vai, vai...

— Vou; mas não falarei a Adão, falarei a Eva. Vou, vou. Que é o próprio segredo da vida, não?

— Sim, o próprio segredo da vida. Vai, serpe das minhas entranhas, flor do mal, e se te saíres bem, juro que terás a melhor parte na criação, que é a parte humana, porque terás muito calcanhar de Eva que morder, muito sangue de Adão em que deitar o vírus do mal... Vai, vai, não te esqueças...

Esquecer? Já levava tudo de cor. Foi, penetrou no paraíso, rastejou até a árvore do Bem e do Mal, enroscou-se e esperou. Eva apareceu daí a pouco, caminhando sozinha, esbelta, com a segurança de uma rainha que sabe que ninguém lhe arrancará a coroa. A serpente, mordida de inveja, ia chamar a peçonha à língua, mas advertiu que estava ali às ordens do Tinhoso, e, com a voz de mel, chamou-a. Eva estremeceu.

– Quem me chama?
– Sou eu, estou comendo desta fruta...
– Desgraçada, é a árvore do Bem e do Mal!
– Justamente. Conheço agora tudo, a origem das coisas e o enigma da vida. Anda, come e terás um grande poder na terra.
– Não, pérfida!
– Néscia! Para que recusas o resplendor dos tempos? Escuta-me, faze o que te digo, e serás legião, fundarás cidades, e chamar-te-ás Cleópatra, Dido, Semíramis; darás heróis do teu ventre, e serás Cornélia; ouvirás a voz do céu, e serás Débora; cantarás e serás Safo. E um dia, se Deus quiser descer à terra, escolherá as tuas entranhas, e chamar-te-ás Maria de Nazaré. Que mais queres tu? Realeza, poesia, divindade, tudo trocas por uma estulta obediência. Nem será só isso. Toda a natureza te fará bela e mais bela. Cores das folhas verdes, cores do céu azul, vivas ou pálidas, cores da noite, hão de refletir nos teus olhos. A mesma noite, de porfia com o sol, virá brincar nos teus cabelos. Os filhos do teu seio tecerão para ti as melhores vestiduras, comporão os mais finos aromas, e as aves te darão as suas plumas, e a terra as suas flores, tudo, tudo, tudo...

Eva escutava impassível; Adão chegou, ouviu-os e confirmou a resposta de Eva; nada valia a perda do paraíso, nem a ciência, nem o poder, nenhuma outra ilusão da terra. Dizendo isto, deram as mãos um ao outro, e deixaram a serpente, que saiu pressurosa para dar conta ao Tinhoso.

Deus, que ouvira tudo, disse a Gabriel:

– Vai, arcanjo meu, desce ao paraíso terrestre, onde vivem Adão e Eva, e traze-os para a eterna bem-aventurança, que mereceram pela repulsa às instigações do Tinhoso.

E logo o arcanjo, pondo na cabeça o elmo de diamante, que rutila como um milhar de sóis, rasgou instantaneamente os ares, chegou a Adão e Eva, e disse-lhes:

– Salve, Adão e Eva. Vinde comigo para o paraíso, que merecestes pela repulsa às instigações do Tinhoso.

Um e outro, atônitos e confusos, curvaram o colo em sinal de obediência; então Gabriel deu as mãos a ambos, e os três subiram até à estância eterna, onde miríades de anjos os esperavam, cantando:

– Entrai, entrai. A terra que deixastes, fica entregue às obras do Tinhoso, aos animais ferozes e maléficos, às plantas daninhas e peçonhentas, ao ar impuro, à vida dos pântanos. Reinará nela a serpente que rasteja, babuja e morde, nenhuma criatura igual a vós porá entre tanta abominação a nota da esperança e da piedade.

E foi assim que Adão e Eva entraram no céu, ao som de todas as cítaras, que uniam as suas notas em um hino aos dois egressos da criação...

Tendo acabado de falar, o juiz-de-fora estendeu o prato a dona Leonor para que lhe desse mais doce, enquanto os outros convivas olhavam uns para os outros, embasbacados; em vez de explicação, ouviam uma narração enigmática, ou, pelo menos, sem sentido aparente. Dona Leonor foi a primeira que falou:

— Bem dizia eu que o senhor Veloso estava logrando a gente. Não foi isso que lhe pedimos, nem nada disso aconteceu, não é, Frei Bento?

— Lá o saberá o senhor juiz — respondeu o carmelita sorrindo.

E o juiz-de-fora, levando à boca uma colher de doce:

— Pensando bem, creio que nada disso aconteceu; mas também, dona Leonor, se tivesse acontecido, não estaríamos aqui saboreando este doce, que está, na verdade, uma coisa primorosa. É ainda aquela sua antiga doceira de Itapagipe?

MISSA DO GALO

NUNCA PUDE entender a conversação que tive com uma senhora, há muitos anos, contava eu dezessete, ela trinta. Era noite de Natal. Havendo ajustado com um vizinho irmos à missa do galo, preferi não dormir; combinei que eu iria acordá-lo à meia-noite. A casa em que eu estava hospedado era a do escrivão Meneses, que fora casado, em primeiras núpcias, com uma de minhas primas. A segunda mulher, Conceição, e a mãe desta acolheram-me bem quando vim de Mangaratiba para o Rio de Janeiro, meses antes, a estudar preparatórios. Vivia tranquilo, naquela casa assobradada da Rua do Senado, com os meus livros, poucas relações, alguns passeios. A família era pequena, o escrivão, a mulher, a sogra e duas escravas. Costumes velhos. Às dez horas da noite toda a gente estava nos quartos; às dez e meia a casa dormia. Nunca tinha ido ao teatro, e mais de uma vez, ouvindo dizer ao Meneses que ia ao teatro, pedi-lhe que me levasse consigo. Nessas ocasiões, a sogra fazia uma careta, e as escravas riam à socapa; ele não respondia, vestia-se, saía e só tornava na manhã seguinte. Mais tarde é que eu soube que o teatro era um eufemismo em ação. Meneses trazia amores com uma senhora, separada do marido, e dormia fora de casa uma vez por semana. Conceição padecera, a princípio, com a existência da comborça; mas afinal, resignara-se, acostumara-se, e acabou achando que era muito direito.

Boa Conceição! Chamavam-lhe "a santa", e fazia jus ao título, tão facilmente suportava os esquecimentos do marido. Em verdade, era um temperamento moderado, sem extremos, nem grandes lágrimas, nem grandes risos. No capítulo de que trato, dava para maometana; aceitaria um harém, com as aparências salvas. Deus me perdoe, se a julgo mal. Tudo nela era atenuado e passivo. O próprio rosto era mediano, nem bonito nem feio. Era o que chamamos uma pessoa simpática. Não dizia mal de ninguém, perdoava tudo. Não sabia odiar; pode ser até que não soubesse amar.

Naquela noite de Natal foi o escrivão ao teatro. Era pelos anos de 1861 ou 1862. Eu já devia estar em Mangaratiba, em férias; mas fiquei até o Natal para ver "a missa do galo na Corte". A família recolheu-se à hora do costume; eu meti-me na sala da frente, vestido e pronto. Dali passaria ao corredor da entrada e sairia sem acordar ninguém. Tinha três chaves a porta; uma estava com o escrivão, eu levaria outra, a terceira ficava em casa.

— Mas, senhor Nogueira, que fará você todo esse tempo? — perguntou-me a mãe de Conceição.

— Leio, dona Inácia.

Tinha comigo um romance, *Os Três Mosqueteiros,* velha tradução creio do Jornal do Commercio. Sentei-me à mesa que havia no centro da sala, e à luz de um candeeiro de querosene, enquanto a casa dormia, trepei ainda uma vez ao cavalo magro de D'Artagnan e fui-me às aventuras. Dentro em pouco estava completamente ébrio de Dumas. Os minutos voavam, ao contrário do que costumam fazer, quando são de espera; ouvi bater onze horas, mas quase sem dar por elas, um acaso. Entretanto, um pequeno rumor que ouvi dentro veio acordar-me da leitura. Eram uns passos no corredor que ia da sala de visitas à de jantar; levantei a cabeça; logo depois vi assomar à porta da sala o vulto de Conceição.

— Ainda não foi? — perguntou ela.

— Não fui, parece que ainda não é meia-noite.

— Que paciência!

Conceição entrou na sala, arrastando as chinelinhas da alcova. Vestia um roupão branco, mal apanhado na cintura. Sendo magra, tinha um ar de visão romântica, não disparatada com o meu livro de aventuras. Fechei o livro, ela foi sentar-se na cadeira que ficava defronte de mim, perto do canapé. Como eu lhe perguntasse se a havia acordado, sem querer, fazendo barulho, respondeu com presteza:

— Não! Qual! Acordei por acordar.

Fitei-a um pouco e duvidei da afirmativa. Os olhos não eram de pessoa que acabasse de dormir; pareciam não ter ainda pegado no sono. Essa observação, porém, que valeria alguma coisa em outro espírito, depressa a botei fora, sem advertir que talvez não dormisse justamente por minha causa, e mentisse para me não afligir ou aborrecer. Já disse que ela era boa, muito boa.

— Mas a hora já há de estar próxima — disse eu.

— Que paciência a sua de esperar acordado, enquanto o vizinho dorme! E esperar sozinho! Não tem medo de almas do outro mundo? Eu cuidei que se assustasse quando me viu.

— Quando ouvi os passos estranhei: mas a senhora apareceu logo.

— Que é que estava lendo? Não diga, já sei, é o romance dos Mosqueteiros.

— Justamente: é muito bonito.

— Gosta de romances?

— Gosto.

— Já leu a *Moreninha?*

— Do doutor Macedo? Tenho lá em Mangaratiba.

— Eu gosto muito de romances, mas leio pouco, por falta de tempo. Que romances é que você tem lido?

Comecei a dizer-lhe os nomes de alguns. Conceição ouvia-me com a cabeça reclinada no espaldar, enfiando os olhos por entre as pálpebras meio-cerradas, sem os tirar de mim. De vez em quando passava a língua pelos beiços, para umedecê-los. Quando acabei de falar, não me disse nada; ficamos assim alguns segundos. Em seguida, vi-a endireitar a cabeça, cruzar os dedos e sobre eles pousar o queixo, tendo os cotovelos nos braços da cadeira, tudo sem desviar de mim os grandes olhos espertos.

"Talvez esteja aborrecida", pensei eu. E logo alto:

— Dona Conceição, creio que vão sendo horas, e eu...

— Não, não, ainda é cedo. Vi agora mesmo o relógio, são onze e meia. Tem tempo. Você, perdendo a noite, é capaz de não dormir de dia?

— Já tenho feito isso.

— Eu, não, perdendo uma noite, no outro dia estou que não posso, e, meia hora que seja, hei de passar pelo sono. Mas também estou ficando velha.

— Que velha o que, dona Conceição?

Tal foi o calor da minha palavra que a fez sorrir. De costume tinha os gestos demorados e as atitudes tranquilas; agora, porém, ergueu-se rapidamente, passou para o outro lado da sala e deu alguns passos, entre a janela da rua e a porta do gabinete do marido. Assim, com o desalinho honesto que trazia, dava-me uma impressão singular. Magra embora, tinha não sei que balanço no andar, como quem lhe custa levar o corpo; essa feição nunca me pareceu tão distinta como naquela noite. Parava algumas vezes, examinando um trecho de Cortina ou concertando a posição de algum objeto no aparador; afinal deteve-se, ante mim, com a mesa de permeio. Estreito era o círculo das suas ideias; tornou ao espanto de me ver esperar acordado; eu repeti-lhe o que ela sabia, isto é, que nunca ouvira missa do galo na Corte, e não queria perdê-la.

— É a mesma missa da roça; todas as missas se parecem.

— Acredito; mas aqui há de haver mais luxo e mais gente também. Olhe, a semana santa na Corte é mais bonita que na roça. São João não digo, nem Santo Antônio...

Pouco a pouco, tinha-se reclinado; fincara os cotovelos no mármore da mesa e metera o rosto entre as mãos espalmadas. Não estando abotoadas as mangas, caíram naturalmente, e eu vi-lhe metade dos braços, muito claros, e menos magros do que se poderiam supor.

A vista não era nova para mim, posto também não fosse comum; naquele momento, porém, a impressão que tive foi grande. As veias eram tão azuis, que apesar da pouca claridade, podia, contá-las do meu lugar. A presença de Conceição espertara-me ainda mais que o livro. Continuei a dizer o que pensava das festas da roça e da cidade, e de outras coisas que me iam vindo à boca. Falava emendando os assuntos, sem saber por que, variando deles ou tornando aos primeiros, e rindo para fazê-la sorrir e ver-lhe os dentes que luziam de brancos, todos iguaizinhos. Os olhos dela não eram bem negros, mas escuros; o nariz, seco e longo, um tantinho curvo, dava-lhe ao rosto um ar interrogativo. Quando eu alteava um pouco a voz, ela reprimia-me:

— Mais baixo! Mamãe pode acordar.

E não saía daquela posição, que me enchia de gosto, tão perto ficavam as nossas caras. Realmente, não era preciso falar alto para ser ouvido: cochichávamos os dois, eu mais que ela, porque falava mais; ela, às vezes, ficava séria, muito séria, com a testa um pouco franzida. Afinal, cansou, trocou de atitude e de lugar. Deu volta à mesa e veio sentar-se do meu lado, no canapé. Voltei-me e pude ver, a furto, o bico das chinelas; mas foi só o tempo que ela gastou em sentar-se, o roupão era comprido e cobriu-as logo. Recordo-me que eram pretas. Conceição disse baixinho:

— Mamãe está longe, mas tem o sono muito leve, se acordasse agora, coitada, tão cedo não pegava no sono.

— Eu também sou assim.

— O quê? — perguntou ela inclinando o corpo, para ouvir melhor.

Fui sentar-me na cadeira que ficava ao lado do canapé e repeti-lhe a palavra. Riu-se da coincidência; também ela tinha o sono leve; éramos três sonos leves.

— Há ocasiões em que sou como mamãe, acordando, custa-me dormir outra vez, rolo na cama, à toa, levanto-me, acendo vela, passeio, torno a deitar-me e nada.

— Foi o que lhe aconteceu hoje.

— Não, não — atalhou ela.

Não entendi a negativa; ela pode ser que também não a entendesse. Pegou das pontas do cinto e bateu com elas sobre os joelhos, isto é, o joelho direito, porque acabava de cruzar as pernas. Depois referiu uma história de sonhos, e afirmou-me que só tivera um pesadelo, em criança. Quis saber se eu os tinha. A conversa reatou-se assim lentamente, longamente, sem que eu desse pela hora nem pela missa. Quando eu acabava uma narração ou uma explicação, ela inventava outra pergunta ou outra matéria e eu pegava novamente na palavra. De quando em quando, reprimia-me:

— Mais baixo, mais baixo...

Havia também umas pausas. Duas outras vezes, pareceu-me que a via dormir; mas os olhos, cerrados por um instante, abriam-se logo sem sono nem fadiga, como se ela os houvesse fechado para ver melhor. Uma dessas vezes creio que deu por mim embebido na sua pessoa, e lembra-me que os tornou a fechar, não sei se apressada ou vagarosamente. Há impressões dessa noite, que me aparecem truncadas ou confusas. Contradigo-me, atrapalho-me. Uma das que ainda tenho frescas é que em certa ocasião, ela, que era apenas simpática, ficou linda, ficou lindíssima. Estava de pé, os braços cruzados; eu, em respeito a ela, quis levantar-me; não consentiu, pôs uma das mãos no meu ombro, e obrigou-me a estar sentado. Cuidei que ia dizer alguma coisa; mas estremeceu, como se tivesse um arrepio de frio, voltou as costas e foi sentar-se na cadeira, onde me achara lendo. Dali relanceou a vista pelo espelho, que ficava por cima do canapé, falou de duas gravuras que pendiam da parede.

— Estes quadros estão ficando velhos. Já pedi a Chiquinho para comprar outros.

Chiquinho era o marido. Os quadros falavam do principal negócio deste homem. Um representava "Cleópatra"; não me recordo o assunto do outro, mas eram mulheres. Vulgares ambos; naquele tempo não me pareciam feios.

— São bonitos — disse eu.

— Bonitos são; mas estão manchados. E depois francamente, eu preferia duas imagens, duas santas. Estas são mais próprias para sala de rapaz ou de barbeiro.

— De barbeiro? A senhora nunca foi a casa de barbeiro.

— Mas imagino que os fregueses, enquanto esperam, falam de moças e namoros, e naturalmente o dono da casa alegra a vista deles com figuras bonitas. Em casa de família é que não acho próprio. É o que eu penso, mas eu penso muita coisa assim esquisita. Seja o que for, não gosto dos quadros. Eu tenho uma Nossa Senhora da Conceição, minha madrinha, muito bonita; mas é de escultura, não se pode pôr na parede, nem eu quero. Está no meu oratório.

A ideia do oratório trouxe-me a da missa, lembrou-me que podia ser tarde e quis dizê-lo. Penso que cheguei a abrir a boca, mas logo a fechei para ouvir o que ela contava, com doçura, com graça, com tal moleza que trazia preguiça à minha alma e fazia esquecer a missa e a igreja. Falava das suas devoções de menina e moça. Em seguida referia umas anedotas de baile, uns casos de passeio, reminiscências de Paquetá, tudo de mistura, quase sem interrupção. Quando cansou do passado, falou do presente, dos negócios da casa, das canseiras de família, que lhe diziam ser muitas, antes de casar, mas não eram nada. Não me contou, mas eu sabia que casara aos vinte e sete anos.

Já agora não trocava de lugar, como a princípio, e quase não saíra da mesma atitude. Não tinha os grandes olhos compridos, e entrou a olhar à toa para as paredes.

– Precisamos mudar o papel da sala – disse daí a pouco, como se falasse consigo.

Concordei, para dizer alguma coisa, para sair da espécie de sono magnético, ou o que quer que era que me tolhia a língua e os sentidos. Queria e não queria acabar a conversação; fazia esforço para arredar os olhos dela, e arredava-os por um sentimento de respeito; mas a ideia de parecer que era aborrecimento, quando não era, levava-me os olhos outra vez para Conceição. A conversa ia morrendo. Na rua, o silêncio era completo.

Chegamos a ficar por algum tempo, não posso dizer quanto, inteiramente calados. O rumor único e escasso, era um roer de camundongo no gabinete, que me acordou daquela espécie de sonolência; quis falar dele, mas não achei modo. Conceição parecia estar devaneando. Subitamente, ouvi uma pancada na janela, do lado de fora, e uma voz que bradava: "Missa do galo! missa do galo!".

– Aí está o companheiro, disse ela levantando-se. Tem graça; você é que ficou de ir acordá-lo, ele é que vem acordar você. Vá, que hão de ser horas; adeus.

– Já serão horas? – perguntei.
– Naturalmente.
– Missa do galo! – repetiram de fora, batendo.
– Vá, vá, não se faça esperar. A culpa foi minha. Adeus até amanhã.

E com o mesmo balanço do corpo, Conceição enfiou pelo corredor dentro, pisando mansinho. Saí à rua e achei o vizinho que esperava. Guiamos dali para a igreja. Durante a missa, a figura de Conceição interpôs-se mais de uma vez, entre mim e o padre; fique isto à conta dos meus dezessete anos. Na manhã seguinte, ao almoço falei da missa do galo e da gente que estava na igreja sem excitar a curiosidade de Conceição. Durante o dia, achei-a como sempre, natural, benigna, sem nada que fizesse lembrar a conversação da véspera. Pelo Ano-Bom fui para Mangaratiba. Quando tornei ao Rio de Janeiro em março, o escrivão tinha morrido de apoplexia. Conceição morava no Engenho Novo, mas nem a visitei nem a encontrei. Ouvi mais tarde que casara com o escrevente juramentado do marido.

O CASO DA VARA

DAMIÃO fugiu do seminário às onze horas da manhã de uma sexta-feira de agosto. Não sei bem o ano, foi antes de 1850. Passados alguns minutos parou vexado; não contava com o efeito que produzia nos olhos da outra gente aquele seminarista que ia espantado, medroso, fugitivo. Desconhecia as ruas, andava e desandava, finalmente parou. Para onde iria? Para casa, não, lá estava o pai que o devolveria ao seminário, depois de um bom castigo. Não assentara no ponto de refúgio, porque a saída estava determinada para mais tarde; uma circunstância fortuita a apressou. Para onde iria? Lembrou-se do padrinho, João Carneiro, mas o padrinho era um moleirão sem vontade, que por si só não faria coisa útil. Foi ele que o levou ao seminário e o apresentou ao reitor:

— Trago-lhe o grande homem que há de ser — disse ele ao reitor.

— Venha — acudiu este —, venha o grande homem, contanto que seja também humilde e bom. A verdadeira grandeza é chã. Moço...

Tal foi a entrada. Pouco tempo depois fugiu o rapaz ao seminário. Aqui o vemos agora na rua, espantado, incerto, sem atinar com refúgio nem conselho; percorreu de memória as casas de parentes e amigos, sem se fixar em nenhuma. De repente, exclamou:

— Vou pegar-me com Sinhá Rita! Ela manda chamar meu padrinho, diz-lhe que quer que eu saia do seminário... Talvez assim...

Sinhá Rita era uma viúva, querida de João Carneiro; Damião tinha umas ideias vagas dessa situação e tratou de a aproveitar. Onde morava? Estava tão atordoado, que só daí a alguns minutos é que lhe acudiu a casa; era no Largo do Capim.

— Santo nome de Jesus! Que é isto? — bradou Sinhá Rita, sentando-se na marquesa, onde estava reclinada.

Damião acabava de entrar espavorido; no momento de chegar à casa, vira passar um padre, e deu um empurrão à porta, que por fortuna não estava fechada a chave nem ferrolho. Depois de entrar espiou pela rótula, a ver o padre. Este não deu por ele e ia andando.

— Mas que é isto, senhor Damião? — bradou novamente a dona da casa, que só agora o conhecera. — Que vem fazer aqui!

Damião, trêmulo, mal podendo falar, disse que não tivesse medo, não era nada; ia explicar tudo.

— Descanse; e explique-se.

— Já lhe digo; não pratiquei nenhum crime, isso juro, mas espere.

Sinhá Rita olhava para ele espantada, e todas as crias, de casa, e de fora, que estavam sentadas em volta da sala, diante das suas almofadas de renda, todas fizeram parar os bilros e as mãos. Sinhá Rita vivia principalmente de ensinar a fazer renda, crivo e bordado. Enquanto o rapaz tomava fôlego, ordenou às pequenas que trabalhassem, e esperou. Afinal, Damião contou tudo, o desgosto que lhe dava o seminário; estava certo de que não podia ser bom padre; falou com paixão, pediu-lhe que o salvasse.

— Como assim? Não posso nada.

— Pode, querendo.

— Não, replicou ela abanando a cabeça, não me meto em negócios de sua família, que mal conheço; e então seu pai, que dizem que é zangado!

Damião viu-se perdido. Ajoelhou-se-lhe aos pés, beijou-lhe as mãos, desesperado.

— Pode muito, Sinhá Rita; peço-lhe pelo amor de Deus, pelo que a senhora tiver de mais sagrado, por alma de seu marido, salve-me da morte, porque eu mato-me, se voltar para aquela casa.

Sinhá Rita, lisonjeada com as súplicas do moço, tentou chamá-lo a outros sentimentos. A vida de padre era santa e bonita, disse-lhe ela; o tempo lhe mostraria que era melhor vencer as repugnâncias e um dia... Não nada, nunca! redarguia Damião, abanando a cabeça e beijando-lhe as mãos, e repetia que era a sua morte. Sinhá Rita hesitou ainda muito tempo; afinal perguntou-lhe por que não ia ter com o padrinho.

— Meu padrinho? Esse é ainda pior que papai; não me atende, duvido que atenda a ninguém...

— Não atende? — interrompeu Sinhá Rita ferida em seus brios. Ora, eu lhe mostro se atende ou não...

Chamou um moleque e bradou-lhe que fosse à casa do senhor João Carneiro chamá-lo, já e já; e se não estivesse em casa, perguntasse onde podia ser encontrado, e corresse a dizer-lhe que precisava muito de lhe falar imediatamente.

— Anda, moleque.

Damião suspirou alto e triste. Ela, para mascarar a autoridade com que dera aquelas ordens, explicou ao moço que o senhor João Carneiro fora amigo do marido e arranjara-lhe algumas crias para ensinar. Depois, como ele continuasse triste, encostado a um portal, puxou-lhe o nariz, rindo:

— Ande lá, seu padreco, descanse que tudo se há de arranjar.

Sinhá Rita tinha quarenta anos na certidão de batismo, e vinte e sete nos olhos. Era apessoada, viva, patusca, amiga de rir; mas, quando convinha, brava como diabo. Quis alegrar o rapaz, e, apesar da situação, não lhe custou muito. Dentro de pouco, ambos eles riam, ela contava-lhe anedotas, e pedia-lhe outras, que ele referia com singular graça. Uma destas, estúrdia, obrigada a trejeitos, fez rir a uma das crias de Sinhá Rita, que esquecera o trabalho, para mirar e escutar o moço. Sinhá Rita pegou de uma vara que estava ao pé da marquesa, e ameaçou-a:

— Lucrécia, olha a vara!

A pequena abaixou a cabeça, aparando o golpe, mas o golpe não veio. Era uma advertência; se à noitinha a tarefa não estivesse pronta, Lucrécia receberia o castigo do costume. Damião olhou para a pequena; era uma negrinha, magricela, um frangalho de nada, com uma cicatriz na testa e uma queimadura na mão esquerda. Contava onze anos. Damião reparou que tossia, mas para dentro, surdamente, a fim de não interromper a conversação. Teve pena da negrinha, e resolveu apadrinhá-la, se não acabasse a tarefa. Sinhá Rita não lhe negaria o perdão... Demais, ela rira por achar-lhe graça; a culpa era sua, se há culpa em ter chiste.

Nisto, chegou João Carneiro. Empalideceu quando viu ali o afilhado, e olhou para Sinhá Rita, que não gastou tempo com preâmbulos. Disse-lhe que era preciso tirar o moço do seminário, que ele não tinha vocação para a vida eclesiástica, e antes um padre de menos que um padre ruim. Cá fora também se podia amar e servir a Nosso Senhor. João Carneiro, assombrado, não achou que replicar durante os primeiros minutos; afinal, abriu a boca e repreendeu o afilhado por ter vindo incomodar "pessoas estranhas", e em seguida afirmou que o castigaria.

— Qual castigar, qual nada! – interrompeu Sinhá Rita. – Castigar por quê? Vá, vá falar a seu compadre.

— Não afianço nada, não creio que seja possível...

— Há de ser possível, afianço eu. Se o senhor quiser, continuou ela com certo tom insinuativo, tudo se há de arranjar. Peça-lhe muito, que ele cede. Ande, Senhor João Carneiro, seu afilhado não volta para o seminário; digo-lhe que não volta...

— Mas, minha senhora...

— Vá, vá.

João Carneiro não se animava a sair, nem podia ficar. Estava entre um puxar de forças opostas. Não lhe importava, em suma que o rapaz acabasse clérigo, advogado ou médico, ou outra qualquer coisa, vadio que fosse, mas o pior é que lhe cometiam uma luta ingente com os sentimentos mais íntimos do compadre, sem certeza do resultado; e, se este fosse negativo, outra luta com Sinhá Rita, cuja última palavra era ameaçadora: "digo-lhe que ele não volta". Tinha de haver por força um escândalo. João Carneiro estava com a pupila desvairada, a pálpebra trêmula, o peito ofegante. Os olhares que deitava a Sinhá Rita eram de súplica, mesclados de um tênue raio de censura. Por que lhe não pedia outra coisa? Por que lhe não ordenava que fosse a pé, debaixo de chuva, à Tijuca, ou Jacarepaguá? Mas logo persuadir ao compadre que mudasse a carreira do filho... Conhecia o velho; era capaz de lhe quebrar uma jarra na cara. Ah! se o rapaz caísse ali, de repente, apoplético, morto! Era uma solução – cruel, é certo, mas definitiva.

– Então? – insistiu Sinhá Rita.

Ele fez-lhe um gesto de mão que esperasse. Coçava a barba, procurando um recurso. Deus do céu! um decreto do papa dissolvendo a Igreja, ou, pelo menos, extinguindo os seminários, faria acabar tudo em bem. João Carneiro voltaria para casa e ia jogar os três-setes. Imaginai que o barbeiro de Napoleão era encarregado de comandar a batalha de Austerlitz... Mas a Igreja continuava, os seminários continuavam, o afilhado continuava cosido à parede, olhos baixos esperando, sem solução apoplética.

– Vá, vá – disse Sinhá Rita dando-lhe o chapéu e a bengala.

Não teve remédio. O barbeiro meteu a navalha no estojo, travou da espada e saiu à campanha. Damião respirou; exteriormente deixou-se estar na mesma, olhos fincados no chão, acabrunhado. Sinhá Rita puxou-lhe desta vez o queixo.

– Ande jantar, deixe-se de melancolias.

– A senhora crê que ele alcance alguma coisa?

– Há de alcançar tudo – redarguiu Sinhá Rita cheia de si. – Ande, que a sopa está esfriando. Apesar do gênio galhofeiro de Sinhá Rita, e do seu próprio espírito leve, Damião esteve menos alegre ao jantar que na primeira parte do dia. Não fiava do caráter mole do padrinho. Contudo, jantou bem; e, para o fim, voltou às pilhérias da manhã. A sobremesa, ouviu um rumor de gente na sala, e perguntou se o vinham prender.

– Hão de ser as moças.

Levantaram-se e passaram à sala. As moças eram cinco vizinhas que iam todas as tardes tomar café com Sinhá Rita, e ali ficavam até o cair da noite.

As discípulas, findo o jantar delas, tornaram às almofadas do trabalho. Sinhá Rita presidia a todo esse mulherio de casa e de fora. O sussurro dos bilros e o palavrear das moças eram ecos tão mundanos, tão alheios à teologia e ao latim, que o rapaz deixou-se ir por eles e esqueceu o resto. Durante os primeiros minutos, ainda houve da parte das vizinhas certo acanhamento, mas passou depressa. Uma delas cantou uma modinha, ao som da guitarra, tangida por Sinhá Rita, e a tarde foi passando depressa. Antes do fim, Sinhá

Rita pediu a Damião que contasse certa anedota que lhe agradara muito. Era a tal que fizera rir Lucrécia.

— Ande, senhor Damião, não se faça de rogado, que as moças querem ir embora. Vocês vão gostar muito.

Damião não teve remédio senão obedecer. Malgrado o anúncio e a expectação, que serviam a diminuir o chiste e o efeito, a anedota acabou entre risadas das moças. Damião, contente de si, não esqueceu Lucrécia e olhou para ela, a ver se rira também. Viu-a com a cabeça metida na almofada para acabar a tarefa. Não ria; ou teria rido para dentro, como tossia. Saíram as vizinhas, e a tarde caiu de todo. A alma de Damião foi-se fazendo tenebrosa, antes da noite. Que estaria acontecendo? De instante a instante, ia espiar pela rótula, e voltava cada vez mais desanimado. Nem sombra do padrinho. Com certeza, o pai fê-lo calar, mandou chamar dois negros, foi à polícia pedir um pedestre, e aí vinha pegá-lo à força e levá-lo ao seminário. Damião perguntou a Sinhá Rita se a casa não teria saída pelos fundos, correu ao quintal e calculou que podia saltar o muro. Quis ainda saber se haveria modo de fugir para a Rua da Vala, ou se era melhor falar a algum vizinho que fizesse o favor de o receber. O pior era a batina; se Sinhá Rita lhe pudesse arranjar um rodaque, uma sobrecasaca velha... Sinhá Rita dispunha justamente de um rodaque, lembrança ou esquecimento de João Carneiro.

— Tenho um rodaque do meu defunto — disse ela, rindo —, mas para que está com esses sustos? Tudo se há de arranjar, descanse.

Afinal, à boca da noite, apareceu um escravo do padrinho, com uma carta para Sinhá Rita. O negócio ainda não estava composto; o pai ficou furioso e quis quebrar tudo; bradou que não, senhor que o peralta havia de ir para o seminário, ou então metia-o no Aljube ou na presiganga. João Carneiro lutou muito para conseguir que o compadre não resolvesse logo, que dormisse a noite, e meditasse bem se era conveniente dar à religião um sujeito tão rebelde e vicioso. Explicava na carta que falou assim para melhor ganhar a causa. Não a tinha por ganha, mas no dia seguinte lá iria ver o homem, e teimar de novo. Concluía dizendo que o moço fosse para a casa dele.

Damião acabou de ler a carta e olhou para Sinhá Rita. "Não tenho outra tábua de salvação", pensou ele. Sinhá Rita mandou vir um tinteiro de chifre, e na meia folha da própria carta escreveu esta resposta: "Joãozinho, ou você salva o moço, ou nunca mais nos vemos". Fechou a carta com obreia, e deu-a ao escravo, para que a levasse depressa. Voltou a reanimar o seminarista, que estava outra vez no capuz da humildade e da consternação. Disse-lhe que sossegasse, que aquele negócio era agora dela.

— Hão de ver para quanto presto! Não, que eu não sou de brincadeiras!

Era a hora de recolher os trabalhos. Sinhá Rita examinou-os, todas as discípulas tinham concluído a tarefa. Só Lucrécia estava ainda à almofada, meneando os bilros, já sem ver; Sinhá Rita chegou-se a ela, viu que a tarefa não estava acabada, ficou furiosa, e agarrou-a por uma orelha.

— Ah! Malandra!
— Nhanhã, nhanhã! Pelo amor de Deus! Por Nossa Senhora que está no céu.
— Malandra! Nossa Senhora não protege vadias!

Lucrécia fez um esforço, soltou-se das mãos da senhora, e fugiu para dentro; a senhora foi atrás e agarrou-a.

— Anda cá!
— Minha senhora, me perdoe!
— Não perdoo, não.

E tornaram ambas à sala, uma presa pela orelha, debatendo-se, chorando e pedindo; a outra dizendo que não, que a havia de castigar.

— Onde está a vara?

A vara estava à cabeceira da marquesa, do outro lado da sala Sinhá Rita, não querendo soltar a pequena, bradou ao seminarista:

— Senhor Damião, dê-me aquela vara, faz favor?

Damião ficou frio... Cruel instante! Uma nuvem passou-lhe pelos olhos. Sim, tinha jurado apadrinhar a pequena, que por causa dele, atrasara o trabalho...

— Dê-me a vara, senhor Damião!

Damião chegou a caminhar na direção da marquesa. A negrinha pediu-lhe então por tudo o que houvesse mais sagrado, pela mãe, pelo pai, por Nosso Senhor...

— Me acuda, meu sinhô moço!

Sinhá Rita, com a cara em fogo e os olhos esbugalhados, instava pela vara, sem largar a negrinha, agora presa de um acesso de tosse. Damião sentiu-se compungido; mas ele precisava tanto sair do seminário! Chegou à marquesa, pegou na vara e entregou-a a Sinhá Rita.

O ENFERMEIRO

PARECE-LHE ENTÃO que o que se deu comigo em 1860, pode entrar numa página de livro? Vá que seja, com a condição única de que não há de divulgar nada antes da minha morte. Não esperará muito, pode ser que oito dias, se não for menos; estou desenganado.

Olhe, eu podia mesmo contar-lhe a minha vida inteira, em que há outras coisas interessantes, mas para isso era preciso tempo, ânimo e papel, e eu só tenho papel; o ânimo é frouxo, e o tempo assemelha-se à lamparina de madrugada. Não tarda o sol do outro dia, um sol dos diabos, impenetrável como a vida. Adeus, meu caro senhor, leia isto e queira-me bem; perdoe-me o que lhe parecer mau, e não maltrate muito a arruda, se lhe não cheira a rosas. Pediu-me um documento humano, ei-lo aqui. Não me peça também o império do Grão-Mogol, nem a fotografia dos Macabeus; peça, porém, os meus sapatos de defunto e não os dou a ninguém mais.

Já sabe que foi em 1860. No ano anterior, ali pelo mês de agosto, tendo eu quarenta e dois anos, fiz-me teólogo; quero dizer, copiava os estudos de teologia de um padre de Niterói, antigo companheiro de colégio, que assim me dava, delicadamente, casa, cama e mesa. Naquele mês de agosto de 1859, recebeu ele uma carta de um vigário de certa vila do interior, perguntando se conhecia pessoa entendida, discreta e paciente, que quisesse ir servir de enfermeiro ao coronel Felisberto, mediante um bom ordenado. O padre falou-me, aceitei com ambas as mãos, estava já enfarado de copiar citações latinas e fórmulas eclesiásticas. Vim à Corte despedir-me de um irmão, e segui para a vila.

Chegando à vila, tive más notícias do coronel. Era homem insuportável, estúrdio, exigente, ninguém o aturava, nem os próprios amigos. Gastava mais enfermeiros que remédios. A dois deles quebrou a cara. Respondi que não tinha medo de gente sã, menos ainda de doentes; e depois de entender-me com o vigário, que me confirmou as notícias recebidas, e me recomendou mansidão e caridade, segui para a residência do coronel.

Achei-o na varanda da casa estirado numa cadeira, bufando muito. Não me recebeu mal. Começou por não dizer nada; pôs em mim dois olhos de gato que observa; depois, uma espécie de riso maligno alumiou-lhe as feições, que eram duras. Afinal, disse-me que nenhum dos enfermeiros que tivera, prestava

para nada, dormiam muito, eram respondões e andavam ao faro das escravas; dois eram até gatunos!
— Você é gatuno?
— Não, senhor.
Em seguida, perguntou-me pelo nome: disse-lho e ele fez um gesto de espanto. Colombo? Não, senhor: Procópio José Gomes Valongo. Valongo? Achou que não era nome de gente, e propôs chamar-me tão somente Procópio, ao que respondi que estaria pelo que fosse de seu agrado. Conto-lhe esta particularidade, não só porque me parece pintá-lo bem, como porque a minha resposta deu de mim a melhor ideia ao coronel. Ele mesmo o declarou ao vigário, acrescentando que eu era o mais simpático dos enfermeiros que tivera. A verdade é que vivemos uma lua de mel de sete dias.

No oitavo dia, entrei na vida dos meus predecessores, uma vida de cão, não dormir, não pensar em mais nada, recolher injúrias, e, às vezes, rir delas, com um ar de resignação e conformidade; reparei que era um modo de lhe fazer corte. Tudo impertinências de moléstia e do temperamento. A moléstia era um rosário delas, padecia de aneurisma, de reumatismo e de três ou quatro afecções menores. Tinha perto de sessenta anos, e desde os cinco toda a gente lhe fazia a vontade. Se fosse só rabugento, vá; mas ele era também mau, deleitava-se com a dor e a humilhação dos outros. No fim de três meses estava farto de o aturar; determinei vir embora; só esperei ocasião.

Não tardou a ocasião. Um dia, como lhe não desse a tempo uma fomentação, pegou da bengala e atirou-me dois ou três golpes. Não era preciso mais; despedi-me imediatamente, e fui aprontar a mala. Ele foi ter comigo, ao quarto, pediu-me que ficasse, que não valia a pena zangar por uma rabugice de velho. Instou tanto que fiquei.

— Estou na dependura, Procópio — dizia-me ele à noite — não posso viver muito tempo. Estou aqui, estou na cova. Você há de ir ao meu enterro, Procópio; não o dispenso por nada. Há de ir, há de rezar ao pé da minha sepultura. Se não for, acrescentou rindo, eu voltarei de noite para lhe puxar as pernas. Você crê em almas de outro mundo, Procópio?

— Qual o quê!

— E por que é que não há de crer, seu burro? — Redarguiu vivamente, arregalando os olhos.

Eram assim as pazes; imagine a guerra. Coibiu-se das bengaladas; mas as injúrias ficaram as mesmas, se não piores. Eu, com o tempo, fui calejando, e não dava mais por nada; era burro, camelo, pedaço d'asno, idiota, moleirão, era tudo. Nem, ao menos, havia mais gente que recolhesse uma parte desses nomes. Não tinha parentes; tinha um sobrinho que morreu tísico, em fins de maio ou princípios de julho, em Minas. Os amigos iam por lá às vezes prová-lo, aplaudi-lo, e nada mais; cinco, dez minutos de visita. Restava eu; era eu sozinho para um dicionário inteiro. Mais de uma vez resolvi sair; mas, instado pelo vigário, ia ficando.

Não só as relações foram se tornando melindrosas, mas eu estava ansioso por tornar à Corte. Aos quarenta e dois anos não é que havia de acostumar-me à reclusão constante, ao pé de um doente bravio, no interior. Para avaliar o meu isolamento, basta saber que eu nem lia os jornais; salvo alguma notícia mais importante que levavam ao coronel, eu nada sabia do resto do mundo. Entendi, portanto, voltar para a Corte, na primeira ocasião, ainda que tivesse de brigar com o vigário. Bom é dizer (visto que faço uma confissão geral) que, nada gastando e tendo guardado integralmente os ordenados, estava ansioso por vir dissipá-los aqui.

Era provável que a ocasião aparecesse. O coronel estava pior, fez testamento, descompondo o tabelião, quase tanto como a mim. O trato era mais duro, os breves lapsos de sossego e brandura faziam-se raros. Já por esse tempo tinha eu perdido a escassa dose de piedade que me fazia esquecer os excessos do doente; trazia dentro de mim um fermento de ódio e aversão. No princípio de agosto resolvi definitivamente sair; o vigário e o médico, aceitando as razões, pediram-me que ficasse algum tempo mais. Concedi-lhes um mês; no fim de um mês viria embora, qualquer que fosse o estado do doente. O vigário tratou de procurar-me substituto.

Vai ver o que aconteceu. Na noite de vinte e quatro de agosto, o coronel teve um acesso de raiva, atropelou-me, disse-me muito nome cru, ameaçou-me de um tiro, e acabou atirando-me um prato de mingau, que achou frio, o prato foi cair na parede onde se fez em pedaços.

– Hás de pagá-lo, ladrão! – Bradou ele.

Resmungou ainda muito tempo. Às onze horas passou pelo sono. Enquanto ele dormia, saquei um livro do bolso, um velho romance de d'Arlincourt, traduzido, que lá achei, e pus-me a lê-lo, no mesmo quarto, a pequena distância da cama; tinha de acordá-lo à meia-noite para lhe dar o remédio. Ou fosse de cansaço, ou do livro, antes de chegar ao fim da segunda página adormeci também. Acordei aos gritos do coronel, e levantei-me estremunhado. Ele, que parecia delirar, continuou nos mesmos gritos, e acabou por lançar mão da moringa e arremessá-la contra mim. Não tive tempo de desviar-me; a moringa bateu-me na face esquerda, e tal foi a dor que não vi mais nada; atirei-me ao doente, pus-lhe as mãos ao pescoço, lutamos, e esganei-o.

Quando percebi que o doente expirava, recuei aterrado, e dei um grito; mas ninguém me ouviu. Voltei à cama, agitei-o para chamá-lo à vida, era tarde; arrebentara o aneurisma, e o coronel morreu. Passei à sala contígua, e durante duas horas não ousei voltar ao quarto. Não posso mesmo dizer tudo o que passei, durante esse tempo. Era um atordoamento, um delírio vago e estúpido. Parecia-me que as paredes tinham vultos; escutava umas vozes surdas. Os gritos da vítima, antes da luta e durante a luta, continuavam a repercutir dentro de mim, e o ar, para onde quer que me voltasse, aparecia recortado de convulsões. Não creia que esteja fazendo imagens nem estilo; digo-lhe que eu ouvia distintamente umas vozes que me bradavam: Assassino! Assassino!

Tudo o mais estava calado. O mesmo som do relógio, lento, igual e seco, sublinhava o silêncio e a solidão. Colava a orelha à porta do quarto na esperança de ouvir um gemido, uma palavra, uma injúria, qualquer coisa que significasse a vida, e me restituísse a paz à consciência. Estaria pronto a apanhar das mãos do coronel, dez, vinte, cem vezes. Mas nada, nada; tudo calado. Voltava a andar à toa na sala, sentava-me, punha as mãos na cabeça; arrependia-me de ter vindo.

– Maldita a hora em que aceitei semelhante coisa! – Exclamava. E descompunha o padre de Niterói, o médico, o vigário, os que me arranjaram um lugar, e os que me pediram para ficar mais algum tempo. Agarrava-me à cumplicidade dos outros homens.

Como o silêncio acabasse por aterrar-me, abri uma das janelas, para escutar o som do vento, se ventasse. Não ventava. A noite ia tranquila, as estrelas fulguravam, com a indiferença de pessoas que tiram o chapéu a um enterro que passa, e continuam a falar de outra coisa. Encostei-me ali por algum tempo, fitando a noite, deixando-me ir a uma recapitulação da vida, a ver se descansava da dor presente. Só então posso dizer que pensei claramente no castigo. Achei-me com um crime às costas e vi a punição certa. Aqui o temor complicou o remorso. Senti que os cabelos me ficavam de pé. Minutos depois, vi três ou quatro vultos de pessoas, no terreiro espiando, com um ar de emboscada; recuei, os vultos esvaíram-se no ar; era uma alucinação.

Antes do alvorecer curei a contusão da face. Só então ousei voltar ao quarto. Recuei duas vezes, mas era preciso e entrei; ainda assim, não cheguei logo à cama. Tremiam-me as pernas, o coração batia-me; cheguei a pensar na fuga; mas era confessar o crime, e, ao contrário, urgia fazer desaparecer os vestígios dele. Fui até a cama; vi o cadáver, com os olhos arregalados e a boca aberta, como deixando passar a eterna palavra dos séculos: "Caim, que fizeste de teu irmão?" Vi no pescoço o sinal das minhas unhas; abotoei alto a camisa e cheguei ao queixo a ponta do lençol. Em seguida, chamei um escravo, disse-lhe que o coronel amanhecera morto; mandei recado ao vigário e ao médico.

A primeira ideia foi retirar-me logo cedo, a pretexto de ter meu irmão doente, e, na verdade, recebera carta dele, alguns dias antes, dizendo-me que se sentia mal. Mas adverti que a retirada imediata poderia fazer despertar suspeitas, e fiquei. Eu mesmo amortalhei o cadáver, com o auxílio de um preto velho e míope. Não saí da sala mortuária; tinha medo de que descobrissem alguma coisa. Queria ver no rosto dos outros se desconfiavam; mas não ousava fitar ninguém. Tudo me dava impaciências: os passos de ladrão com que entravam na sala, os cochichos, as cerimônias e as rezas do vigário. Vindo a hora, fechei o caixão, com as mãos trêmulas, tão trêmulas que uma pessoa, que reparou nelas, disse a outra com piedade:

– Coitado do Procópio! Apesar do que padeceu, está muito sentido.

Pareceu-me ironia; estava ansioso por ver tudo acabado. Saímos à rua. A passagem da meia escuridão da casa para a claridade da rua deu-me grande abalo; receei que fosse então impossível ocultar o crime. Meti os olhos no chão, e fui andando. Quando tudo acabou, respirei. Estava em paz com os homens. Não o estava com a consciência, e as primeiras noites foram naturalmente de desassossego e aflição. Não é preciso dizer que vim logo para o Rio de Janeiro, nem que vivi aqui aterrado, embora longe do crime; não ria, falava pouco, mal comia, tinha alucinações, pesadelos...

– Deixa lá o outro que morreu – diziam-me. – Não é caso para tanta melancolia.

E eu aproveitava a ilusão, fazendo muitos elogios ao morto, chamando-lhe boa criatura, impertinente, é verdade, mas um coração de ouro. E elogiando, convencia-me também, ao menos por alguns instantes. Outro fenômeno interessante, e que talvez lhe possa aproveitar, é que, não sendo religioso, mandei dizer uma missa pelo eterno descanso do coronel, na igreja do Sacramento. Não fiz convites, não disse nada a ninguém; fui ouvi-la, sozinho, e estive de joelhos todo o tempo, persignando-me a miúdo. Dobrei a espórtula do padre, e distribuí esmolas à porta, tudo por intenção do finado. Não queria embair os homens; a prova é que fui só. Para completar este ponto, acrescentarei que nunca aludia ao coronel, que não dissesse: "Deus lhe fale n'alma!" E contava dele algumas anedotas alegres, rompantes engraçados... Sete dias depois de chegar ao Rio de Janeiro, recebi a carta do vigário, que lhe mostrei, dizendo-me que fora achado o testamento do coronel, e que eu era o herdeiro universal. Imagine o meu pasmo. Pareceu-me que lia mal, fui a meu irmão, fui aos amigos; todos leram a mesma coisa. Estava escrito; era eu o herdeiro universal do coronel. Cheguei a supor que fosse uma cilada; mas adverti logo que havia outros meios de capturar-me, se o crime estivesse descoberto. Demais, eu conhecia a probidade do vigário, que não se prestaria a ser instrumento. Reli a carta, cinco, dez, muitas vezes; lá estava a notícia.

— Quanto tinha ele? — Perguntava-me meu irmão.
— Não sei, mas era rico.
— Realmente, provou que era teu amigo.
— Era... Era...

Assim por uma ironia da sorte, os bens do coronel vinham parar às minhas mãos. Cogitei em recusar a herança. Parecia-me odioso receber um vintém do tal espólio; era pior do que fazer-me esbirro alugado. Pensei nisso três dias, e esbarrava sempre na consideração de que a recusa podia fazer desconfiar alguma coisa. No fim dos três dias, assentei num meio-termo; receberia a herança e dá-la-ia toda, aos bocados e às escondidas. Não era só escrúpulo; era também o modo de resgatar o crime por um ato de virtude; pareceu-me que ficava assim de contas saldas.

Preparei-me e segui para a vila. Em caminho, à proporção que me ia aproximando, recordava o triste sucesso; as cercanias da vila tinham um aspecto de tragédia, e a sombra do coronel parecia-me surgir de cada lado. A imaginação ia reproduzindo as palavras, os gestos, toda a noite horrenda do crime...

Crime ou luta? Realmente, foi uma luta, em que eu, atacado, defendi-me, e na defesa... Foi uma luta desgraçada, uma fatalidade. Fixei-me nessa ideia. E balanceava os agravos, punha no ativo as pancadas, as injúrias... Não era culpa do coronel, bem o sabia, era da moléstia, que o tornava assim rabugento e até mau... Mas eu perdoava tudo, tudo... O pior foi a fatalidade daquela noite... Considerei também que o coronel não podia viver muito mais; estava por pouco; ele mesmo o sentia e dizia. Viveria quanto? Duas semanas, ou uma; pode ser até que menos. Já não era vida, era um molambo de vida, se isto mesmo se podia chamar ao padecer contínuo do pobre homem... E quem sabe mesmo se a luta e a morte não foram apenas coincidentes? Podia ser, era até o mais provável; não foi outra coisa. Fixei-me também nessa ideia...

Perto da vila apertou-se-me o coração, e quis recuar; mas dominei-me e fui. Receberam-me com parabéns. O vigário disse-me as disposições do testamento, os legados pios, e de caminho ia louvando a mansidão cristã e o zelo com que eu servira ao coronel, que, apesar de áspero e duro, soube ser grato.

— Sem dúvida — dizia eu, olhando para outra parte.

Estava atordoado. Toda a gente me elogiava a dedicação e a paciência. As primeiras necessidades do inventário detiveram-me algum tempo na vila. Constituí advogado; as coisas correram placidamente. Durante esse tempo, falava muita vez do coronel. Vinham contar-me coisas dele, mas sem a moderação do padre; eu defendia-o, apontava algumas virtudes, era austero...

– Qual austero! Já morreu, acabou; mas era o diabo.

E referiam-me casos duros, ações perversas, algumas extraordinárias. Quer que lhe diga? Eu, a princípio, ia ouvindo cheio de curiosidade; depois, entrou-me no coração um singular prazer, que eu sinceramente buscava expelir. E defendia o coronel, explicava-o, atribuía alguma coisa às rivalidades locais; confessava, sim, que era um pouco violento... Um pouco? Era uma cobra assanhada, interrompia-me o barbeiro; e todos, o coletor, o boticário, o escrivão, todos diziam a mesma coisa; e vinham outras anedotas, vinha toda a vida do defunto. Os velhos lembravam-se das crueldades dele, em menino. E o prazer íntimo, calado, insidioso, crescia dentro de mim, espécie de tênia moral, que por mais que a arrancasse aos pedaços recompunha-se logo e ia ficando.

As obrigações do inventário distraíram-me; e por outro lado a opinião da vila era tão contrária ao coronel, que a vista dos lugares foi perdendo para mim a feição tenebrosa que a princípio achei neles. Entrando na posse da herança, converti-a em títulos e dinheiro. Eram então passados muitos meses, e a ideia de distribuí-la toda em esmolas e donativos pios não me dominou como da primeira vez; achei mesmo que era afetação. Restringi o plano primitivo: distribuí alguma coisa aos pobres, dei à matriz da vila uns paramentos novos, fiz uma esmola à Santa Casa da Misericórdia, etc.; ao todo trinta e dois contos. Mandei também levantar um túmulo ao coronel, todo de mármore, obra de um napolitano, que aqui esteve até 1866, e foi morrer, creio eu, no Paraguai.

Os anos foram andando, a memória tornou-se cinzenta e desmaiada.

Penso às vezes no coronel, mas sem os terrores dos primeiros dias. Todos os médicos a quem contei as moléstias dele, foram acordes em que a morte era certa, e só se admiravam de ter resistido tanto tempo. Pode ser que eu, involuntariamente, exagerasse a descrição que então lhes fiz; mas a verdade é que ele devia morrer, ainda que não fosse aquela fatalidade...

Adeus, meu caro senhor. Se achar que esses apontamentos valem alguma coisa, pague-me também com um túmulo de mármore, ao qual dará por epitáfio esta emenda que faço aqui ao divino sermão da montanha: "Bem-aventurados os que possuem, porque eles serão consolados."

O ESPELHO

ESBOÇO DE UMA NOVA TEORIA DA ALMA HUMANA

QUATRO OU CINCO cavalheiros debatiam, uma noite, várias questões de alta transcendência, sem que a disparidade dos votos trouxesse a menor alteração aos espíritos. A casa ficava no morro de Santa Teresa, a sala era pequena, alumiada a velas, cuja luz fundia-se misteriosamente com o luar que vinha de fora. Entre a cidade, com as suas agitações e aventuras, e o céu, em que as estrelas pestanejavam, através de uma atmosfera límpida e sossegada, estavam os nossos quatro ou cinco investigadores de coisas metafísicas, resolvendo amigavelmente os mais árduos problemas do universo.

Por que quatro ou cinco? Rigorosamente eram quatro os que falavam; mas, além deles, havia na sala um quinto personagem, calado, pensando, cochilando, cuja espórtula no debate não passava de um ou outro resmungo de aprovação. Esse homem tinha a mesma idade dos companheiros, entre quarenta e cinquenta anos, era provinciano, capitalista, inteligente, não sem instrução, e, ao que parece, astuto e cáustico. Não discutia nunca; e defendia-se da abstenção com um paradoxo, dizendo que a discussão é a forma polida do instinto batalhador, que jaz no homem, como uma herança bestial; e acrescentava que os serafins e os querubins não controvertiam nada, e, aliás, eram a perfeição espiritual e eterna. Como desse esta mesma resposta naquela noite, contestou-lha um dos presentes, e desafiou-o a demonstrar o que dizia, se era capaz. Jacobina (assim se chamava ele) refletiu um instante, e respondeu:

— Pensando bem, talvez o senhor tenha razão.

Vai senão quando, no meio da noite, sucedeu que este casmurro usou da palavra, e não dois ou três minutos, mas trinta ou quarenta. A conversa, em seus meandros, veio a cair na natureza da alma, ponto que dividiu radicalmente os quatro amigos. Cada cabeça, cada sentença; não só o acordo, mas a mesma discussão tornou-se difícil, senão impossível, pela multiplicidade das questões que se deduziram do tronco principal e um pouco, talvez, pela inconsistência dos pareceres. Um dos argumentadores pediu ao Jacobina alguma opinião, uma conjetura, ao menos.

— Nem conjetura, nem opinião — redarguiu ele — uma ou outra pode dar lugar a dissentimento, e, como sabem, eu não discuto. Mas, se querem ouvir-me calados, posso contar-lhes um caso de minha vida, em que ressalta a mais clara demonstração acerca da matéria de que se trata. Em primeiro lugar, não há uma só alma, há duas...

— Duas?

— Nada menos de duas almas. Cada criatura humana traz duas almas consigo: uma que olha de dentro para fora, outra que olha de fora para dentro... Espantem-se à vontade, podem ficar de boca aberta, dar de ombros, tudo; não admito réplica. Se me replicarem, acabo o charuto e vou dormir. A alma exterior pode ser um espírito, um fluido, um homem, muitos homens, um objeto, uma operação. Há casos, por exemplo, em que um simples botão de camisa é a alma exterior de uma pessoa; e assim também a polca, o voltarete, um livro, uma máquina, um par de botas, uma cavatina, um tambor, etc. Está claro que o ofício dessa segunda alma é transmitir a vida, como a primeira; as duas completam o homem, que é, metafisicamente falando, uma laranja. Quem perde uma das metades, perde naturalmente metade da existência; e casos há, não raros, em que a perda da alma exterior implica a da existência inteira. Shylock, por exemplo. A alma exterior daquele judeu eram os seus ducados; perdê-los equivalia a morrer. "Nunca mais verei o meu ouro, diz ele a Tubal; *é um punhal que me enterras no coração.*" Vejam bem esta frase; a perda dos ducados, alma exterior, era a morte para ele. Agora, é preciso saber que a alma exterior não é sempre a mesma...

— Não?

— Não, senhor; muda de natureza e de estado. Não aludo a certas almas absorventes, como a pátria, com a qual disse o Camões que morria, e o poder, que foi a alma exterior de César e de Cromwell. São almas enérgicas e exclusivas; mas há outras, embora enérgicas, de natureza mudável. Há cavalheiros, por exemplo, cuja alma exterior, nos primeiros anos, foi um chocalho ou um cavalinho de pau, e mais tarde uma provedoria de irmandade, suponhamos. Pela minha parte, conheço uma senhora, na verdade, gentilíssima; que muda de alma exterior cinco, seis vezes por ano. Durante a estação lírica é a ópera; cessando a estação, a alma exterior substitui-se por outra: um concerto, um baile do Cassino, a rua do Ouvidor, Petrópolis...

— Perdão; essa senhora quem é?

— Essa senhora é parenta do diabo, e tem o mesmo nome; chama-se Legião... E assim outros mais casos. Eu mesmo tenho experimentado dessas trocas. Não as relato, porque iria longe; restrinjo-me ao episódio de que lhes falei. Um episódio dos meus vinte e cinco anos...

Os quatro companheiros, ansiosos de ouvir o caso prometido, esqueceram a controvérsia. Santa curiosidade! tu não és só a alma da civilização, és

também o pomo da concórdia, fruta divina, de outro sabor que não aquele pomo da mitologia. A sala, até há pouco ruidosa de física e metafísica, é agora um mar morto; todos os olhos estão no Jacobina, que conserta a ponta do charuto, recolhendo as memórias. Eis aqui como ele começou a narração:
— Tinha vinte e cinco anos, era pobre, e acabava de ser nomeado alferes da Guarda Nacional. Não imaginam o acontecimento que isto foi em nossa casa. Minha mãe ficou tão orgulhosa! Tão contente! Chamava-me o seu alferes. Primos e tios, foi tudo uma alegria sincera e pura. Na vila, note-se bem, houve alguns despeitados; choro e ranger de dentes, como na Escritura; e o motivo não foi outro senão que o posto tinha muitos candidatos e que esses perderam. Suponho também que uma parte do desgosto foi inteiramente gratuita: nasceu da simples distinção. Lembra-me de alguns rapazes, que se davam comigo, e passaram a olhar-me de revés, durante algum tempo. Em compensação, tive muitas pessoas que ficaram satisfeitas com a nomeação; e a prova é que todo o fardamento me foi dado por amigos... Vai então uma das minhas tias, dona Marcolina, viúva do Capitão Peçanha, que morava a muitas léguas da vila, num sítio escuro e solitário, desejou ver-me, e pediu que fosse ter com ela e levasse a farda. Fui, acompanhado de um pajem, que daí a dias tornou à vila, porque a tia Marcolina, apenas me pilhou no sítio, escreveu a minha mãe dizendo que não me soltava antes de um mês, pelo menos. E abraçava-me! Chamava-me também o seu alferes. Achava-me um rapagão bonito. Como era um tanto patusca, chegou a confessar que tinha inveja da moça que houvesse de ser minha mulher. Jurava que em toda a província não havia outro que me pusesse o pé adiante. E sempre alferes; era alferes para cá, alferes para lá, alferes a toda a hora. Eu pedia-lhe que me chamasse Joãozinho, como dantes; e ela abanava a cabeça, bradando que não, que era o "senhor alferes". Um cunhado dela, irmão do finado Peçanha, que ali morava, não me chamava de outra maneira. Era o "senhor alferes", não por gracejo, mas a sério, e à vista dos escravos, que naturalmente foram pelo mesmo caminho. Na mesa tinha eu o melhor lugar, e era o primeiro servido. Não imaginam. Se lhes disser que o entusiasmo da tia Marcolina chegou ao ponto de mandar pôr no meu quarto um grande espelho, obra rica e magnífica, que destoava do resto da casa, cuja mobília era modesta e simples... Era um espelho que lhe dera a madrinha, e que esta herdara da mãe, que o comprara a uma das fidalgas vindas em 1808 com a corte de Dom João VI. Não sei o que havia nisso de verdade; era a tradição. O espelho estava naturalmente muito velho; mas ainda se via nele o ouro, comido em parte pelo tempo, uns delfins esculpidos nos ângulos superiores da moldura, uns enfeites de madrepérola e outros caprichos do artista. Tudo velho, mas bom...

— Espelho grande?

— Grande. E foi, como digo, uma enorme fineza, porque o espelho estava na sala; era a melhor peça da casa. Mas não houve forças que a demovessem do propósito; respondia que não fazia falta, que era só por algumas semanas, e finalmente que o "senhor alferes" merecia muito mais. O certo é que todas essas coisas, carinhos, atenções, obséquios, fizeram em mim uma transformação, que o natural sentimento da mocidade ajudou e completou. Imaginam, creio eu?

— Não.

— O alferes eliminou o homem. Durante alguns dias, as duas naturezas equilibraram-se; mas não tardou que a primitiva cedesse à outra; ficou-me uma parte mínima de humanidade. Aconteceu então que a alma exterior, que era dantes o sol, o ar, o campo, os olhos das moças, mudou de natureza, e passou a ser a cortesia e os rapapés da casa, tudo o que me falava do posto, nada do que me falava do homem. A única parte do cidadão que ficou comigo foi aquela que entendia com o exercício da patente; a outra dispersou-se no ar e no passado. Custa-lhes acreditar, não?

— Custa-me até entender — respondeu um dos ouvintes.

— Vai entender. Os fatos explicarão melhor os sentimentos: os fatos são tudo. A melhor definição do amor não vale um beijo de moça namorada; e, se bem me lembro, um filósofo antigo demonstrou o movimento andando. Vamos aos fatos. Vamos ver como, ao tempo em que a consciência do homem se obliterava, a do alferes tornava-se viva e intensa. As dores humanas, as alegrias humanas, se eram só isso, mal obtinham de mim uma compaixão apática ou um sorriso de favor. No fim de três semanas, era outro, totalmente outro. Era exclusivamente alferes. Ora, um dia recebeu a tia Marcolina uma notícia grave; uma de suas filhas, casada com um lavrador residente dali a cinco léguas, estava mal e à morte. Adeus, sobrinho! Adeus, alferes! Era mãe extremosa, armou logo uma viagem, pediu ao cunhado que fosse com ela, e a mim que tomasse conta do sítio. Creio que, se não fosse a aflição, disporia o contrário; deixaria o cunhado e iria comigo. Mas o certo é que fiquei só, com os poucos escravos da casa. Confesso-lhes que desde logo senti uma grande opressão, alguma coisa semelhante ao efeito de quatro paredes de um cárcere, subitamente levantadas em torno de mim. Era a alma exterior que se reduzia; estava agora limitada a alguns espíritos boçais. O alferes continuava a dominar em mim, embora a vida fosse menos intensa, e a consciência mais débil. Os escravos punham uma nota de humildade nas suas cortesias, que de certa maneira compensava a afeição dos parentes e a intimidade doméstica interrompida. Notei mesmo, naquela noite, que eles redobravam de respeito, de alegria, de protestos. Nhô alferes, de minuto a minuto; nhô alferes é muito bonito; nhô alferes há de ser coronel; nhô alferes há de casar com moça bonita, filha de general; um concerto de louvores e profecias, que me deixou extático. Ah! pérfidos! mal podia eu suspeitar a intenção secreta dos malvados.

— Matá-lo?
— Antes assim fosse.
— Coisa pior?
— Ouçam-me. Na manhã seguinte achei-me só. Os velhacos, seduzidos por outros, ou de movimento próprio, tinham resolvido fugir durante a noite; e assim fizeram. Achei-me só, sem mais ninguém, entre quatro paredes, diante do terreiro deserto e da roça abandonada. Nenhum fôlego humano. Corri a casa toda, a senzala, tudo; ninguém, um molequinho que fosse. Galos e galinhas tão somente, um par de mulas, que filosofavam a vida, sacudindo as moscas, e três bois. Os mesmos cães foram levados pelos escravos. Nenhum ente humano. Parece-lhes que isto era melhor do que ter morrido? era pior. Não por medo; juro-lhes que não tinha medo; era um pouco atrevidinho, tanto que não senti nada, durante as primeiras horas. Fiquei triste por causa do dano causado à tia Marcolina; fiquei também um pouco perplexo, não sabendo se devia ir ter com ela, para lhe dar a triste notícia, ou ficar tomando conta da casa. Adotei o segundo alvitre, para não desamparar a casa, e porque, se a minha prima enferma estava mal, eu ia somente aumentar a dor da mãe, sem remédio nenhum; finalmente, esperei que o irmão do tio Peçanha voltasse naquele dia ou no outro, visto que tinha saído havia já trinta e seis horas. Mas a manhã passou sem vestígio dele; à tarde comecei a sentir a sensação como de pessoa que houvesse perdido toda a ação nervosa, e não tivesse consciência da ação muscular. O irmão do tio Peçanha não voltou nesse dia, nem no outro, nem em toda aquela semana. Minha solidão tomou proporções enormes. Nunca os dias foram mais compridos, nunca o sol abrasou a terra com uma obstinação mais cansativa. As horas batiam de século a século no velho relógio da sala, cuja pêndula *tic-tac, tic-tac*, feria-me a alma interior, como um piparote contínuo da eternidade. Quando, muitos anos depois, li uma poesia americana, creio que de Longfellow, e topei este famoso estribilho: *Never, for ever! For ever, never!* Confesso-lhes que tive um calafrio: recordei-me daqueles dias medonhos. Era justamente assim que fazia o relógio da tia Marcolina: *Never, for ever! For ever, never!* Não eram golpes de pêndula, era um diálogo do abismo, um cochicho do nada. E então de noite! Não que a noite fosse mais silenciosa. O silêncio era o mesmo que de dia. Mas a noite era a sombra, era a solidão ainda mais estreita, ou mais larga. *Tic-tac, tic-tac.*

Ninguém, nas salas, na varanda, nos corredores, no terreiro, ninguém em parte nenhuma... Riem-se?

— Sim, parece que tinha um pouco de medo.

— Oh! fora bom se eu pudesse ter medo! Viveria. Mas o característico daquela situação é que eu nem sequer podia ter medo, isto é, o medo vulgarmente entendido. Tinha uma sensação inexplicável. Era como um defunto andando, um sonâmbulo, um boneco mecânico. Dormindo, era outra coisa. O sono dava-me alívio, não pela razão comum de ser irmão da morte, mas por outra. Acho que posso explicar assim esse fenômeno: o sono, eliminando a necessidade de uma alma exterior, deixava atuar a alma interior. Nos sonhos, fardava-me orgulhosamente, no meio da família e dos amigos, que me elogiavam o garbo, que me chamavam alferes; vinha um amigo de nossa casa, e prometia-me o posto de tenente, outro o de capitão ou major; e tudo isso fazia-me viver. Mas quando acordava, dia claro, esvaía-se com o sono a consciência do meu ser novo e único, porque a alma interior perdia a ação exclusiva, e ficava dependente da outra, que teimava em não tornar... Não tornava. Eu saía fora, a um lado e outro, a ver se descobria algum sinal de regresso. *Soeur Anne, soeur Anne, ne vois-tu rien venir?* Nada, coisa nenhuma; tal qual como na lenda francesa. Nada mais do que a poeira da estrada e o capinzal dos morros. Voltava para casa, nervoso, desesperado, estirava-me no canapé da sala. *Tic-tac, tic-tac.* Levantava-me, passeava, tamborilava nos vidros das janelas, assobiava. Em certa ocasião lembrei-me de escrever alguma coisa, um artigo político, um romance, uma ode; não escolhi nada definitivamente; sentei-me e tracei no papel algumas palavras e frases soltas, para intercalar no estilo. Mas o estilo, como tia Marcolina, deixava-se estar. *Soeur Anne, soeur Anne...* Coisa nenhuma. Quando muito via negrejar a tinta e alvejar o papel.

— Mas não comia?

— Comia mal, frutas, farinha, conservas, algumas raízes tostadas ao fogo, mas suportaria tudo alegremente, se não fora a terrível situação moral em que me achava. Recitava versos, discursos, trechos latinos, liras de Gonzaga, oitavas de Camões, décimas, uma antologia em trinta volumes. As vezes fazia ginástica; outra dava beliscões nas pernas; mas o efeito era só uma sensação física de dor ou de cansaço, e mais nada. Tudo silêncio, um silêncio vasto, enorme, infinito, apenas sublinhado pelo eterno *tic-tac* da pêndula. *Tic-tac, tic-tac...*

— Na verdade, era de enlouquecer.

— Vão ouvir coisa pior. Convém dizer-lhes que, desde que ficara só, não olhara uma só vez para o espelho. Não era abstenção deliberada, não tinha motivo; era um impulso inconsciente, um receio de achar-me um e dois, ao mesmo tempo,

naquela casa solitária; e se tal explicação é verdadeira, nada prova melhor a contradição humana, porque no fim de oito dias deu-me na veneta de olhar para o espelho com o fim justamente de achar-me dois. Olhei e recuei. O próprio vidro parecia conjurado com o resto do universo; não me estampou a figura nítida e inteira, mas vaga, esfumada, difusa, sombra de sombra. A realidade das leis físicas não permite negar que o espelho reproduziu-me textualmente, com os mesmos contornos e feições; assim devia ter sido. Mas tal não foi a minha sensação. Então tive medo; atribuí o fenômeno à excitação nervosa em que andava; receei ficar mais tempo, e enlouquecer. "Vou-me embora", disse comigo. E levantei o braço com gesto de mau humor, e ao mesmo tempo de decisão, olhando para o vidro; o gesto lá estava, mas disperso, esgaçado, mutilado... Entrei a vestir-me, murmurando comigo, tossindo sem tosse, sacudindo a roupa com estrépito, afligindo-me a frio com os botões, para dizer alguma coisa. De quando em quando, olhava furtivamente para o espelho; a imagem era a mesma difusão de linhas, a mesma decomposição de contornos... Continuei a vestir-me. Subitamente por uma inspiração inexplicável, por um impulso sem cálculo, lembrou-me... Se forem capazes de adivinhar qual foi a minha ideia...
— Diga.
— Estava a olhar para o vidro, com uma persistência de desesperado, contemplando as próprias feições derramadas e inacabadas, uma nuvem de linhas soltas, informes, quando tive o pensamento... Não, não são capazes de adivinhar.
— Mas, diga, diga.
— Lembrou-me vestir a farda de alferes. Vesti-a, aprontei-me de todo; e, como estava defronte do espelho, levantei os olhos, e... não lhes digo nada; o vidro reproduziu então a figura integral; nenhuma linha de menos, nenhum contorno diverso; era eu mesmo, o alferes, que achava, enfim, a alma exterior. Essa alma ausente com a dona do sítio, dispersa e fugida com os escravos, ei-la recolhida no espelho. Imaginai um homem que, pouco a pouco, emerge de um letargo, abre os olhos sem ver, depois começa a ver, distingue as pessoas dos objetos, mas não conhece individualmente uns nem outros; enfim, sabe que este é Fulano, aquele é Sicrano; aqui está uma cadeira, ali um sofá. Tudo volta ao que era antes do sono. Assim foi comigo. Olhava para o espelho, ia de um lado para outro, recuava, gesticulava, sorria e o vidro exprimia tudo. Não

era mais um autômato, era um ente animado. Daí em diante, fui outro. Cada dia, a uma certa hora, vestia-me de alferes, e sentava-me diante do espelho, lendo olhando, meditando; no fim de duas, três horas, despia-me outra vez. Com este regime pude atravessar mais seis dias de solidão sem os sentir...

Quando os outros voltaram a si, o narrador tinha descido as escadas.

PAI CONTRA MÃE

A ESCRAVIDÃO levou consigo ofícios e aparelhos, como terá sucedido a outras instituições sociais. Não cito alguns aparelhos senão por se ligarem a certo ofício. Um deles era o ferro ao pescoço, outro o ferro ao pé; havia também a máscara de folha de flandres. A máscara fazia perder o vício da embriaguez aos escravos, por lhes tapar a boca. Tinha só três buracos, dois para ver, um para respirar, e era fechada atrás da cabeça por um cadeado. Com o vício de beber, perdiam a tentação de furtar, porque geralmente era dos vinténs do senhor que eles tiravam com que matar a sede, e aí ficavam dois pecados extintos, e a sobriedade e a honestidade certas. Era grotesca tal máscara, mas a ordem social e humana nem sempre se alcança sem o grotesco, e alguma vez o cruel. Os funileiros as tinham penduradas, à venda, na porta das lojas. Mas não cuidemos de máscaras.

O ferro ao pescoço era aplicado aos escravos fujões. Imaginai uma coleira grossa, com a haste grossa também à direita ou à esquerda, até ao alto da cabeça e fechada atrás com chave. Pesava, naturalmente, mas era menos castigo que sinal. Escravo que fugia assim, onde quer que andasse, mostrava um reincidente, e com pouco era pegado.

Há meio século, os escravos fugiam com frequência. Eram muitos, e nem todos gostavam da escravidão. Sucedia ocasionalmente apanharem pancada, e nem todos gostavam de apanhar pancada. Grande parte era apenas repreendida; havia alguém de casa que servia de padrinho, e o mesmo dono não era mau; além disso, o sentimento da propriedade moderava a ação, porque dinheiro também dói. A fuga repetia-se, entretanto. Casos houve, ainda que raros, em que o escravo de contrabando, apenas comprado no Valongo, deitava a correr, sem conhecer as ruas da cidade. Dos que seguiam para casa, não raro, apenas ladinos, pediam ao senhor que lhes marcasse aluguel, e iam ganhá-lo fora, quitandando.

Quem perdia um escravo por fuga dava algum dinheiro a quem lho levasse. Punha anúncios nas folhas públicas, com os sinais do fugido, o nome, a roupa, o defeito físico, se o tinha, o bairro por onde andava e a quantia de gratificação. Quando não vinha a quantia, vinha promessa: "gratificar-se-á generosamente" ou "receberá uma boa gratificação". Muitas vezes o anúncio trazia, em cima ou ao lado, uma vinheta: figura de preto, descalço, correndo, vara ao ombro, e na ponta uma trouxa. Protestava-se com todo o rigor da lei contra quem o acoutasse.

Ora, pegar escravos fugidios era um ofício do tempo. Não seria nobre, mas por ser instrumento da força com que se mantêm a lei e a propriedade, trazia esta outra nobreza implícita das ações reivindicadoras. Ninguém se metia em tal ofício por desfastio ou estudo; a pobreza, a necessidade de uma achega, a inaptidão para outros trabalhos, o acaso, e alguma vez o gosto de servir também, ainda que por outra via, davam o impulso ao homem que se sentia bastante rijo para pôr ordem à desordem.

Cândido Neves, em família, Candinho, é a pessoa a quem se liga a história de uma fuga, cedeu à pobreza, quando adquiriu o ofício de pegar escravos fugidos. Tinha um defeito grave esse homem, não aguentava emprego nem ofício, carecia de estabilidade; é o que ele chamava caiporismo. Começou por querer aprender tipografia, mas viu cedo que era preciso algum tempo para compor bem, e ainda assim talvez não ganhasse o bastante; foi o que ele disse a si mesmo. O comércio chamou-lhe a atenção, era carreira boa. Com algum esforço entrou de caixeiro para um armarinho. A obrigação, porém, de atender e servir a todos feria-o na corda do orgulho, e ao cabo de cinco ou seis semanas estava na rua por sua vontade. Fiel de cartório, contínuo de uma repartição anexa ao Ministério do Império, carteiro e outros empregos foram deixados pouco depois de obtidos.

Quando veio a paixão da moça Clara, não tinha ele mais que dívidas, ainda que poucas, porque morava com um primo, entalhador de ofício. Depois de várias tentativas para obter emprego, resolveu adotar o ofício do primo, de que aliás já tomara algumas lições. Não lhe custou apanhar outras, mas, querendo aprender depressa, aprendeu mal. Não fazia obras finas nem complicadas, apenas garras para sofás e relevos comuns para cadeiras. Queria ter em que trabalhar quando casasse, e o casamento não se demorou muito.

Contava trinta anos. Clara vinte e dois. Ela era órfã, morava com uma tia, Mônica, e cosia com ela. Não cosia tanto que não namorasse o seu pouco, mas os namorados apenas queriam matar o tempo; não tinham outro empenho. Passavam às tardes, olhavam muito para ela, ela para eles, até que a noite a fazia recolher para a costura. O que ela notava é que nenhum deles lhe deixava saudades nem lhe acendia desejos.

Talvez nem soubesse o nome de muitos. Queria casar, naturalmente. Era, como lhe dizia a tia, um pescar de caniço, a ver se o peixe pegava, mas o peixe passava de longe; algum que parasse, era só para andar à roda da isca, mirá-la, cheirá-la, deixá-la e ir a outras.

O amor traz sobrescritos. Quando a moça viu Cândido Neves, sentiu que era este o possível marido, o marido verdadeiro e único. O encontro deu-se em um baile; tal foi, para lembrar o primeiro ofício do namorado, tal foi a página inicial daquele livro, que tinha de sair mal composto e pior brochado. O casamento fez-se onze meses depois, e foi a mais bela festa das relações dos noivos. Amigas de Clara, menos por amizade que por inveja, tentaram arredá-la do passo que ia dar. Não negavam a gentileza do noivo, nem o amor que lhe tinha, nem ainda algumas virtudes; diziam que era dado em demasia a patuscadas.

– Pois ainda bem – replicava a noiva – ao menos, não caso com defunto.
– Não, defunto não; mas é que...
Não diziam o que era. Tia Mônica, depois do casamento, na casa pobre onde eles se foram abrigar, falou-lhes uma vez nos filhos possíveis. Eles queriam um, um só, embora viesse agravar a necessidade.
– Vocês, se tiverem um filho, morrem de fome – disse a tia à sobrinha.
– Nossa Senhora nos dará de comer – acudiu Clara.
Tia Mônica devia ter-lhes feito a advertência, ou ameaça, quando ele lhe foi pedir a mão da moça; mas também ela era amiga de patuscadas, e o casamento seria uma festa, como foi.

A alegria era comum aos três. O casal ria a propósito de tudo. Os mesmos nomes eram objeto de trocados, Clara, Neves, Cândido; não davam que comer, mas davam que rir, e o riso digeria-se sem esforço.

Ela cosia agora mais, ele saía a empreitadas de uma coisa e outra; não tinha emprego certo.

Nem por isso abriam mão do filho. O filho é que, não sabendo daquele desejo específico, deixava-se estar escondido na eternidade. Um dia, porém, deu sinal de si a criança; varão ou fêmea, era o fruto abençoado que viria trazer ao casal a suspirada ventura. Tia Mônica ficou desorientada, Cândido e Clara riram dos seus sustos.

– Deus nos há de ajudar, titia – insistia a futura mãe.
A notícia correu de vizinha a vizinha. Não houve mais que espreitar a aurora do dia grande. A esposa trabalhava agora com mais vontade, e assim era preciso, uma vez que, além das costuras pagas, tinha de ir fazendo com retalhos o enxoval da criança. À força de pensar nela, vivia já com ela, media-lhe fraldas, cosia-lhe camisas. A porção era escassa, os intervalos longos. Tia Mônica ajudava, é certo, ainda que de má vontade.

– Vocês verão a triste vida – suspirava ela.
– Mas as outras crianças não nascem também? – Perguntou Clara.
– Nascem, e acham sempre alguma coisa certa que comer, ainda que pouco...

— Certa como?

— Certa, um emprego, um ofício, uma ocupação, mas em que é que o pai dessa infeliz criatura que aí vem gasta o tempo?

Cândido Neves, logo que soube daquela advertência, foi ter com a tia; não foi áspero, mas muito menos manso que de costume, e lhe perguntou se já algum dia deixara de comer.

— A senhora ainda não jejuou senão pela semana santa, e isso mesmo quando não quer jantar comigo. Nunca deixamos de ter o nosso bacalhau...

— Bem sei, mas somos três.

— Seremos quatro.

— Não é a mesma coisa.

— Que quer então que eu faça, além do que faço?

— Alguma coisa mais certa. Veja o marceneiro da esquina, o homem do armarinho, o tipógrafo que casou sábado, todos têm um emprego certo... Não fique zangado; não digo que você seja vadio, mas a ocupação que escolheu é vaga. Você passa semanas sem vintém.

— Sim, mas lá vem uma noite que compensa tudo, até de sobra. Deus não me abandona, e preto fugido sabe que comigo não brinca; quase nenhum resiste, muitos entregam-se logo.

Tinha glória nisto, falava da esperança como de capital seguro. Daí a pouco ria, e fazia rir à tia, que era naturalmente alegre, e previa uma patuscada no batizado.

Cândido Neves perdera já o ofício de entalhador, como abrira mão de outros muitos, melhores ou piores. Pegar escravos fugidos trouxe-lhe um encanto novo. Não obrigava a estar longas horas sentado. Só exigia força, olho vivo, paciência, coragem e um pedaço de corda. Cândido Neves lia os anúncios, copiava-os, metia-os no bolso e saía às pesquisas. Tinha boa memória. Fixados os sinais e os costumes de um escravo fugido, gastava pouco tempo em achá-lo, segurá-lo, amarrá-lo e levá-lo. A força era muita, a agilidade também. Mais de uma vez, a uma esquina, conversando de coisas remotas, via passar um escravo como os outros, e descobria logo que ia fugido, quem era, o nome, o dono, a casa deste e a gratificação; interrompia a conversa e ia atrás do vicioso. Não o apanhava logo, espreitava lugar azado, e de um salto tinha a gratificação nas mãos. Nem sempre saía sem sangue, as unhas e os dentes do outro trabalhavam, mas geralmente ele os vencia sem o menor arranhão.

Um dia os lucros entraram a escassear. Os escravos fugidos não vinham já, como dantes, meter-se nas mãos de Cândido Neves. Havia mãos novas e hábeis. Como o negócio crescesse, mais de um desempregado pegou em si e numa corda, foi aos jornais, copiou anúncios e deitou-se à caçada. No próprio bairro havia mais de um competidor. Quer dizer que as dívidas de Cândido

Neves começaram de subir, sem aqueles pagamentos prontos ou quase prontos dos primeiros tempos. A vida fez-se difícil e dura. Comia-se fiado e mal; comia-se tarde. O senhorio mandava pelo aluguéis.

Clara não tinha sequer tempo de remendar a roupa ao marido, tanta era a necessidade de coser para fora. Tia Mônica ajudava a sobrinha, naturalmente. Quando ele chegava à tarde, via-se-lhe pela cara que não trazia vintém. Jantava e saía outra vez, à cata de algum fugido. Já lhe sucedia, ainda que raro, enganar-se de pessoa, e pegar em escravo fiel que ia a serviço de seu senhor; tal era a cegueira da necessidade. Certa vez capturou um preto livre; desfez-se em desculpas, mas recebeu grande soma de murros que lhe deram os parentes do homem.

– É o que lhe faltava! – exclamou a tia Mônica, ao vê-lo entrar, e depois de ouvir narrar o equívoco e suas consequências. – Deixe-se disso, Candinho; procure outra vida, outro emprego.

Cândido quisera efetivamente fazer outra coisa, não pela razão do conselho, mas por simples gosto de trocar de ofício; seria um modo de mudar de pele ou de pessoa. O pior é que não achava à mão negócio que aprendesse depressa.

A natureza ia andando, o feto crescia, até fazer-se pesado à mãe, antes de nascer. Chegou o oitavo mês, mês de angústias e necessidades, menos ainda que o nono, cuja narração dispenso também. Melhor é dizer somente os seus efeitos. Não podiam ser mais amargos.

– Não, tia Mônica! – bradou Candinho, recusando um conselho que me custa escrever, quanto mais ao pai ouvi-lo. – Isso nunca!

Foi na última semana do derradeiro mês que a tia Mônica deu ao casal o conselho de levar a criança que nascesse à Roda dos enjeitados. Em verdade, não podia haver palavra mais dura de tolerar a dois jovens pais que espreitavam a criança, para beijá-la, guardá-la, vê-la rir, crescer, engordar, pular... Enjeitar quê? enjeitar como? Candinho arregalou os olhos para a tia, e acabou dando um murro na mesa de jantar. A mesa, que era velha e desconjuntada, esteve quase a se desfazer inteiramente. Clara interveio.

– Titia não fala por mal, Candinho.

– Por mal? – replicou tia Mônica. – Por mal ou por bem, seja o que for, digo que é o melhor que vocês podem fazer. Vocês devem tudo; a carne e o feijão vão faltando. Se não aparecer algum dinheiro, como é que a família há de aumentar? E depois, há tempo; mais tarde, quando o senhor tiver a vida mais segura, os filhos que vierem serão recebidos com o mesmo cuidado que este ou maior. Este será bem criado, sem lhe faltar nada. Pois, então, a Roda é alguma praia ou monturo? Lá não se mata ninguém, ninguém morre à toa, enquanto que aqui é certo morrer, se viver à míngua. Enfim...

Tia Mônica terminou a frase com um gesto de ombros, deu as costas e foi meter-se na alcova. Tinha já insinuado aquela solução, mas era a primeira vez que o fazia com tal franqueza e calor; crueldade, se preferes. Clara estendeu a mão ao marido, como a amparar-lhe o ânimo; Cândido Neves fez uma careta, e chamou maluca à tia, em voz baixa. A ternura dos dois foi interrompida por alguém que batia à porta da rua.

– Quem é? – perguntou o marido.
– Sou eu.

Era o dono da casa, credor de três meses de aluguel, que vinha em pessoa ameaçar o inquilino. Este quis que ele entrasse.

– Não é preciso...
– Faça favor.

O credor entrou e recusou sentar-se, deitou os olhos à mobília para ver se daria algo à penhora; achou que pouco. Vinha receber os aluguéis vencidos, não podia esperar mais; se dentro de cinco dias não fosse pago, pô-lo-ia na rua. Não havia trabalhado para regalo dos outros. Ao vê-lo, ninguém diria que era proprietário; mas a palavra supria o que faltava ao gesto, e o pobre Cândido Neves preferiu calar a retorquir. Fez uma inclinação de promessa e súplica ao mesmo tempo. O dono da casa não cedeu mais.

– Cinco dias ou rua! – repetiu, metendo a mão no ferrolho da porta e saindo.

Candinho saiu por outro lado. Nesses lances não chegava nunca ao desespero, contava com algum empréstimo, não sabia como nem onde, mas contava. Demais, recorreu aos anúncios. Achou vários, alguns já velhos, mas em vão os buscava desde muito. Gastou algumas horas sem proveito, e tornou para casa. Ao fim de quatro dias, não achou recursos; lançou mão de empenhos, foi a pessoas amigas do proprietário, não alcançando mais que a ordem de mudança.

A situação era aguda. Não achavam casa, nem contavam com pessoa que lhes emprestasse alguma; era ir para a rua. Não contavam com a tia. Tia Mônica teve arte de alcançar aposento para os três em casa de uma senhora velha e rica, que lhe prometeu emprestar os quartos baixos da casa, ao fundo da cocheira, para os lados de um pátio. Teve ainda a arte maior de não dizer nada aos dois, para que Cândido Neves, no desespero da crise começasse por enjeitar o filho e acabasse alcançando algum meio seguro e regular de obter dinheiro; emendar a vida, em suma. Ouvia as queixas de Clara, sem as repetir, é certo, mas sem as consolar. No dia em que fossem obrigados a deixar a casa, fá-los-ia espantar com a notícia do obséquio e iriam dormir melhor do que cuidassem.

Assim sucedeu. Postos fora da casa, passaram ao aposento de favor, e dois dias depois nasceu a criança. A alegria do pai foi enorme, e a tristeza também. Tia Mônica insistiu em dar a criança à Roda. "Se você não a quer levar, deixe isso comigo; eu vou à Rua dos Barbonos." Cândido Neves pediu que não, que esperasse, que ele mesmo a levaria.

Notai que era um menino, e que ambos os pais desejavam justamente este sexo. Mal lhe deram algum leite; mas, como chovesse à noite, assentou o pai levá-lo à Roda na noite seguinte.

Naquela reviu todas as suas notas de escravos fugidos. As gratificações pela maior parte eram promessas; algumas traziam a soma escrita e escassa. Uma, porém, subia a cem mil-réis. Tratava-se de uma mulata; vinham indicações de gesto e de vestido. Cândido Neves andara a pesquisá-la sem melhor fortuna, e abrira mão do negócio; imaginou que algum amante da escrava a houvesse recolhido. Agora, porém, a vista nova da quantia e a necessidade dela animaram Cândido Neves a fazer um grande esforço derradeiro. Saiu de manhã a ver e indagar pela Rua e Largo da Carioca, Rua do Parto e da Ajuda, onde ela parecia andar, segundo o anúncio. Não a achou; apenas um farmacêutico da Rua da Ajuda se lembrava de ter vendido uma onça de qualquer droga, três dias antes, à pessoa que tinha os sinais indicados. Cândido Neves parecia falar como dono da escrava, e agradeceu cortesmente a notícia. Não foi mais feliz com outros fugidos de gratificação incerta ou barata.

Voltou para a triste casa que lhe haviam emprestado. Tia Mônica arranjara de si mesma a dieta para a recente mãe, e tinha já o menino para ser levado à Roda. O pai, não obstante o acordo feito, mal pôde esconder a dor do espetáculo. Não quis comer o que tia Mônica lhe guardara; não tinha fome, disse, e era verdade. Cogitou mil modos de ficar com o filho; nenhum prestava. Não podia esquecer o próprio albergue em que vivia. Consultou a mulher, que se mostrou resignada. Tia Mônica pintara-lhe a criação do menino; seria maior a miséria, podendo suceder que o filho achasse a morte sem recurso. Cândido Neves foi obrigado a cumprir a promessa; pediu à mulher que desse ao filho o resto do leite que ele beberia da mãe. Assim se fez; o pequeno adormeceu, o pai pegou dele, e saiu na direção da Rua dos Barbonos.

Que pensasse mais de uma vez em voltar para casa com ele, é certo; não menos certo é que o agasalhava muito, que o beijava, que cobria o rosto para preservá-lo do sereno. Ao entrar na Rua da Guarda Velha, Cândido Neves começou a afrouxar o passo. "Hei de entregá-lo o mais tarde que puder, murmurou ele". Mas não sendo a rua infinita ou sequer longa, viria a acabá-la; foi então que lhe ocorreu entrar por um dos becos que ligavam aquela à Rua da Ajuda. Chegou ao fim do beco e, indo a dobrar à direita, na direção do Largo da Ajuda, viu do lado oposto um vulto de mulher; era a mulata fugida. Não dou aqui a comoção de Cândido Neves por não podê-lo fazer com a intensidade real. Um adjetivo basta; digamos enorme. Descendo a mulher, desceu ele também; a poucos passos estava a farmácia onde obtivera a informação, que referi acima. Entrou, achou o farmacêutico, pediu-lhe a fineza de guardar a criança por um instante; viria buscá-la sem falta.

— Mas...

Cândido Neves não lhe deu tempo de dizer nada; saiu rápido, atravessou a rua, até ao ponto em que pudesse pegar a mulher sem dar alarma. No extremo da rua, quando ela ia a descer a de São José, Cândido Neves aproximou-se dela. Era a mesma, era a mulata fujona.

— Arminda! — bradou, conforme a nomeava o anúncio.

Arminda voltou-se sem cuidar malícia. Foi só quando ele, tendo tirado o pedaço de corda da algibeira, pegou dos braços da escrava, que ela compreendeu e quis fugir. Era já impossível. Cândido Neves, com as mãos robustas, atava-lhe os pulsos e dizia que andasse. A escrava quis gritar, parece que chegou a soltar alguma voz mais alta que de costume, mas entendeu logo que ninguém viria libertá-la, ao contrário. Pediu então que a soltasse pelo amor de Deus.

— Estou grávida, meu senhor! — exclamou. — Se Vossa Senhoria tem algum filho, peço-lhe por amor dele que me solte; eu serei tua escrava, vou servi-lo pelo tempo que quiser. Me solte, meu senhor moço!

— Siga! — Repetiu Cândido Neves.

— Me solte!

— Não quero demoras; siga!

Houve aqui luta, porque a escrava, gemendo, arrastava-se a si e ao filho. Quem passava ou estava à porta de uma loja, compreendia o que era e naturalmente não acudia. Arminda ia alegando que o senhor era muito mau, e provavelmente a castigaria com açoutes, coisa que, no estado em que ela estava, seria pior de sentir. Com certeza, ele lhe mandaria dar açoutes.

— Você é que tem culpa. Quem lhe manda fazer filhos e fugir depois? — perguntou Cândido Neves.

Não estava em maré de riso, por causa do filho que lá ficara na farmácia, à espera dele. Também é certo que não costumava dizer grandes coisas. Foi arrastando a escrava pela Rua dos Ourives, em direção à da Alfândega, onde residia o senhor. Na esquina desta a luta cresceu; a escrava pôs os pés à parede, recuou com grande esforço, inutilmente. O que alcançou foi, apesar de ser a casa próxima, gastar mais tempo em lá chegar do que devera. Chegou, enfim, arrastada, desesperada, arquejando. Ainda ali ajoelhou-se, mas em vão. O senhor estava em casa, acudiu ao chamado e ao rumor.

– Aqui está a fujona – disse Cândido Neves.
– É ela mesma.
– Meu senhor!
– Anda, entra...

Arminda caiu no corredor. Ali mesmo o senhor da escrava abriu a carteira e tirou os cem mil-réis de gratificação. Cândido Neves guardou as duas notas de cinquenta mil-réis, enquanto o senhor novamente dizia à escrava que entrasse. No chão, onde jazia, levada do medo e da dor, e após algum tempo de luta a escrava abortou.

O fruto de algum tempo entrou sem vida neste mundo, entre os gemidos da mãe e os gestos de desespero do dono. Cândido Neves viu todo esse espetáculo. Não sabia que horas eram. Quaisquer que fossem, urgia correr à Rua da Ajuda, e foi o que ele fez sem querer conhecer as consequências do desastre.

Quando lá chegou, viu o farmacêutico sozinho, sem o filho que lhe entregara. Quis esganá-lo. Felizmente, o farmacêutico explicou tudo a tempo; o menino estava lá dentro com a família, e ambos entraram. O pai recebeu o filho com a mesma fúria com que pegara a escrava fujona de há pouco, fúria diversa, naturalmente, fúria de amor. Agradeceu depressa e mal, e saiu às carreiras, não para a Roda dos enjeitados, mas para a casa de empréstimo com o filho e os cem mil-réis de gratificação. Tia Mônica, ouvida a explicação, perdoou a volta do pequeno, uma vez que trazia os cem mil-réis. Disse, é verdade, algumas palavras duras contra a escrava, por causa do aborto, além da fuga. Cândido Neves, beijando o filho, entre lágrimas, verdadeiras, abençoava a fuga e não se lhe dava do aborto.

– Nem todas as crianças vingam – bateu-lhe o coração.

UNS BRAÇOS

INÁCIO ESTREMECEU, ouvindo os gritos do solicitador, recebeu o prato que este lhe apresentava e tratou de comer, debaixo de uma trovoada de nomes: malandro, cabeça de vento, estúpido, maluco.

— Onde anda que nunca ouve o que lhe digo? Hei de contar tudo a seu pai, para que lhe sacuda a preguiça do corpo com uma boa vara de marmelo, ou um pau; sim, ainda pode apanhar, não pense que não. Estúpido! maluco!

— Olhe que lá fora é isto mesmo que você vê aqui — continuou, voltando-se para dona Severina, senhora que vivia com ele maritalmente, há anos.

— Confunde-me os papéis todos, erra as casas, vai a um escrivão em vez de ir a outro, troca os advogados: é o diabo! É o tal sono pesado e contínuo. De manhã é o que se vê; primeiro que acorde é preciso quebrar-lhe os ossos... Deixe; amanhã hei de acordá-lo a pau de vassoura!

Dona Severina tocou-lhe no pé, como pedindo que acabasse. Borges espeitorou ainda alguns impropérios, e ficou em paz com Deus e os homens.

Não digo que ficou em paz com os meninos, porque o nosso Inácio não era propriamente menino. Tinha quinze anos feitos e bem feitos. Cabeça inculta, mas bela, olhos de rapaz que sonha, que adivinha, que indaga, que quer saber e não acaba de saber nada. Tudo isso posto sobre um corpo não destituído de graça, ainda que mal vestido. O pai é barbeiro na Cidade Nova, e pô-lo de agente, escrevente, ou que quer que era, do solicitador Borges, com esperança de vê-lo no foro, porque lhe parecia que os procuradores de causas ganhavam muito. Passava-se isto na Rua da Lapa, em 1870.

Durante alguns minutos não se ouviu mais que o tinir dos talheres e o ruído da mastigação. Borges abarrotava-se de alface e vaca; interrompia-se para virgular a oração com um golpe de vinho e continuava logo calado.

Inácio ia comendo devagarinho, não ousando levantar os olhos do prato, nem para colocá-los onde eles estavam no momento em que o terrível Borges o descompôs. Verdade é que seria agora muito arriscado. Nunca ele pôs os olhos nos braços de dona Severina que se não esquecesse de si e de tudo.

Também a culpa era antes de dona Severina em trazê-los assim nus, constantemente. Usava mangas curtas em todos os vestidos de casa, meio palmo abaixo do ombro; dali em diante ficavam-lhe os braços à mostra. Na verdade, eram belos e cheios, em harmonia com a dona, que era antes grossa que fina, e não perdiam a cor nem a maciez por viverem ao ar; mas é justo explicar que ela os não trazia assim por faceira, senão porque já gastara todos os vestidos de mangas compridas. De pé, era muito vistosa; andando, tinha meneios engraçados; ele, entretanto, quase que só a via à mesa, onde, além dos braços, mal poderia mirar-lhe o busto. Não se pode dizer que era bonita; mas também não era feia. Nenhum adorno; o próprio penteado consta de mui pouco; alisou os cabelos, apanhou-os, atou-os e fixou-os no alto da cabeça com o pente de tartaruga que a mãe lhe deixou. Ao pescoço, um lenço escuro, nas orelhas, nada. Tudo isso com vinte e sete anos floridos e sólidos.

Acabaram de jantar. Borges, vindo o café, tirou quatro charutos da algibeira, comparou-os, apertou-os entre os dedos, escolheu um e guardou os restantes. Aceso o charuto, fincou os cotovelos na mesa e falou a dona Severina de trinta mil coisas que não interessavam nada ao nosso Inácio; mas enquanto falava, não o descompunha e ele podia devanear à larga. Inácio demorou o café o mais que pôde. Entre um e outro gole alisava a toalha, arrancava dos dedos pedacinhos de pele imaginários ou passava os olhos pelos quadros da sala de jantar, que eram dois, um São Pedro e um São João, registros trazidos de festas encaixilhados em casa. Vá que disfarçasse com São João, cuja cabeça moça alegra as imaginações católicas, mas com o austero São Pedro era demais. A única defesa do moço Inácio é que ele não via nem um nem outro; passava os olhos por ali como por nada. Via só os braços de dona Severina, ou porque sorrateiramente olhasse para eles, ou porque andasse com eles impressos na memória.

— Homem, você não acaba mais? — bradou de repente o solicitador.

Não havia remédio; Inácio bebeu a última gota, já fria, e retirou-se, como de costume, para o seu quarto, nos fundos da casa. Entrando, fez um gesto de zanga e desespero e foi depois encostar-se a uma das duas janelas que davam para o mar. Cinco minutos depois, a vista das águas próximas e das montanhas ao longe restituía-lhe o sentimento confuso, vago, inquieto, que lhe doía e fazia bem, alguma coisa que deve sentir a planta, quando abotoa a primeira flor. Tinha vontade de ir embora e de ficar. Havia cinco semanas que ali morava, e a vida era sempre a mesma, sair de manhã com o Borges, andar por audiências e cartórios, correndo, levando papéis ao selo, ao distribuidor, aos escrivães, aos oficiais de justiça. Voltava à tarde jantava e recolhia-se ao quarto, até a hora da ceia; ceava e ia dormir. Borges não lhe dava intimidade na família, que se compunha apenas de dona Severina, nem Inácio a via mais de três vezes por dia, durante as refeições. Cinco semanas de solidão, de trabalho sem gosto, longe da mãe e das irmãs; cinco semanas de silêncio, porque ele só falava uma ou outra vez na rua; em casa, nada.

– Deixe estar – pensou ele um dia –, fujo daqui e não volto mais.

Não foi; sentiu-se agarrado e acorrentado pelos braços de dona Severina. Nunca vira outros tão bonitos e tão frescos. A educação que tivera não lhe permitia encará-los logo abertamente, parece até que a princípio afastava os olhos, vexado. Encarou-os pouco a pouco, ao ver que eles não tinham outras mangas, e assim os foi descobrindo, mirando e amando. No fim de três semanas eram eles, moralmente falando, as suas tendas de repouso. Aguentava toda a trabalheira de fora toda a melancolia da solidão e do silêncio, toda a grosseria do patrão, pela única paga de ver, três vezes por dia, o famoso par de braços.

Naquele dia, enquanto a noite ia caindo e Inácio estirava-se na rede (não tinha ali outra cama), dona Severina, na sala da frente, recapitulava o episódio do jantar e, pela primeira vez, desconfiou alguma coisa Rejeitou a ideia logo, uma criança! Mas há ideias que são da família das moscas teimosas: por mais que a gente as sacuda, elas tornam e pousam. Criança? Tinha quinze anos; e ela advertiu que entre o nariz e a boca do rapaz havia um princípio de rascunho de buço. Que admira que começasse a amar? E não era ela bonita? Esta outra ideia não foi rejeitada, antes afagada e beijada. E recordou então os modos dele, os esquecimentos, as distrações, e mais um incidente, e mais outro, tudo eram sintomas, e concluiu que sim.

– Que é que você tem? – disse-lhe o solicitador, estirado no canapé, ao cabo de alguns minutos de pausa.

– Não tenho nada.

– Nada? Parece que cá em casa anda tudo dormindo! Deixem estar, que eu sei de um bom remédio para tirar o sono aos dorminhocos...

E foi por ali, no mesmo tom zangado, fuzilando ameaças, mas realmente incapaz de as cumprir, pois era antes grosseiro que mau. Dona Severina interrompia-o que não, que era engano, não estava dormindo, estava pensando na comadre Fortunata. Não a visitavam desde o Natal; por que não iriam lá uma daquelas noites? Borges redarguia que andava cansado, trabalhava como um negro, não estava para visitas de parola, e descompôs a comadre, descompôs o compadre, descompôs o afilhado, que não ia ao colégio, com dez anos! Ele, Borges, com dez anos, já sabia ler, escrever e contar, não muito bem, é certo, mas sabia. Dez anos! Havia de ter um bonito fim: – Vadio, e o covado e meio nas costas. A tarimba é que viria ensiná-lo.

Dona Severina apaziguava-o com desculpas, a pobreza da comadre, o caiporismo do compadre, e fazia-lhe carinhos, a medo, que eles podiam irritá-lo mais. A noite caíra de todo; ela ouviu o *tlic* do lampião do gás da rua, que acabavam de acender, e viu o clarão dele nas janelas da casa fronteira. Borges, cansado do dia, pois era realmente um trabalhador de primeira ordem, foi fechando os olhos e pegando no sono, e deixou-a só na sala, às escuras, consigo e com a descoberta que acaba de fazer.

Tudo parecia dizer à dama que era verdade; mas essa verdade, desfeita a impressão do assombro, trouxe-lhe uma complicação moral que ela só conheceu pelos efeitos, não achando meio de discernir o que era. Não podia entender-se nem equilibrar-se, chegou a pensar em dizer tudo ao solicitador, e ele que mandasse embora o fedelho. Mas que era tudo? Aqui estacou: realmente, não havia mais que suposição, coincidência e possivelmente ilusão. Não, não, ilusão não era. E logo recolhia os indícios vagos, as atitudes do mocinho, o acanhamento, as distrações, para rejeitar a ideia de estar enganada. Daí a pouco, (capciosa natureza!) refletindo que seria mau acusá-lo sem fundamento, admitiu que se iludisse, para o único fim de observá-lo melhor e averiguar bem a realidade das coisas.

Já nessa noite, dona Severina mirava por baixo dos olhos os gestos de Inácio; não chegou a achar nada, porque o tempo do chá era curto e o rapazinho não tirou os olhos da xícara. No dia seguinte pôde observar melhor, e nos outros otimamente. Percebeu que sim, que era amada e temida, amor adolescente e virgem, retido pelos liames sociais e por um sentimento de inferioridade que o impedia de reconhecer-se a si mesmo. Dona Severina compreendeu que não havia recear nenhum desacato, e concluiu que o melhor era não dizer nada ao solicitador; poupava-lhe um desgosto, e outro à pobre criança. Já se persuadia bem que ele era criança, e assentou de o tratar tão secamente como até ali, ou ainda mais. E assim fez; Inácio começou a sentir que ela fugia com os olhos, ou falava áspero, quase tanto como o próprio Borges. De outras vezes, é verdade que o tom da voz saía brando e até meigo, muito meigo; assim como o olhar geralmente esquivo, tanto errava por outras partes, que, para descansar, vinha pousar na cabeça dele; mas tudo isso era curto.

— Vou-me embora — repetia ele na rua como nos primeiros dias.

Chegava a casa e não se ia embora. Os braços de dona Severina fechavam-lhe um parêntesis no meio do longo e fastidioso período da vida que levava, e essa oração intercalada trazia uma ideia original e profunda, inventada pelo céu unicamente para ele. Deixava-se estar e ia andando. Afinal, porém, teve de sair, e para nunca mais; eis aqui como e porquê.

Dona Severina tratava-o desde alguns dias com benignidade. A rudeza da voz parecia acabada, e havia mais do que brandura, havia desvelo e carinho. Um dia recomendava-lhe que não apanhasse ar, outro que não bebesse água fria depois do café quente, conselhos, lembranças, cuidados de amiga e mãe, que lhe lançaram na alma ainda maior inquietação e confusão. Inácio chegou ao extremo de confiança de rir um dia à mesa, coisa que jamais fizera; e o solicitador não o tratou mal dessa vez, porque era ele que contava um caso engraçado, e ninguém pune a outro pelo aplauso que recebe. Foi então que dona Severina viu que a boca do mocinho, graciosa estando calada, não o era menos quando ria.

A agitação de Inácio ia crescendo, sem que ele pudesse acalmar-se nem entender-se. Não estava bem em parte nenhuma. Acordava de noite, pensando em dona Severina. Na rua, trocava de esquinas, Frrava as portas, muito mais que dantes, e não via mulher, ao longe ou ao perto, que lha não trouxesse à memória. Ao entrar no corredor da casa, voltando do trabalho, sentia sempre algum alvoroço, às vezes grande, quando dava com ela no topo da escada, olhando através das grades de pau da cancela, como tendo acudido a ver quem era.

Um domingo, nunca ele esqueceu esse domingo, estava só no quarto, à janela, virado para o mar, que lhe falava a mesma linguagem obscura e nova de dona Severina. Divertia-se em olhar para as gaivotas, que faziam grandes giros no ar, ou pairavam em cima d'água, ou avoaçavam somente. O dia estava lindíssimo. Não era só um domingo cristão; era um imenso domingo universal.

Inácio passava-os todos ali no quarto ou à janela, ou relendo um dos três folhetos que trouxera consigo, contos de outros tempos, comprados a tostão, debaixo do passadiço do Largo do Paço. Eram duas horas da tarde. Estava cansado, dormira mal a noite, depois de haver andado muito na véspera; estirou-se na rede, pegou em um dos folhetos, a *Princesa Magalona*, e começou a ler. Nunca pôde entender por que é que todas as heroínas dessas velhas histórias tinham a mesma cara e talhe de dona Severina, mas a verdade é que os tinham. Ao cabo de meia hora, deixou cair o folheto e pôs os olhos na parede, donde, cinco minutos depois, viu sair a dama dos seus cuidados. O natural era que se espantasse; mas não se espantou. Embora com as pálpebras cerradas viu-a desprender-se de todo, parar, sorrir e andar para a rede. Era ela mesma, eram os seus mesmos braços.

É certo, porém, que dona Severina, tanto não podia sair da parede, dado que houvesse ali porta ou rasgão, que estava justamente na sala da frente ouvindo os passos do solicitador que descia as escadas. Ouviu-o descer; foi à janela vê-lo sair e só se recolheu quando ele se perdeu ao longe, no caminho Ua Rua das Mangueiras. Então entrou e foi sentar-se no canapé. Parecia fora do natural, inquieta, quase maluca; levantando-se, foi pegar na jarra que estava em cima do aparador e deixou-a no mesmo lugar; depois caminhou até à porta, deteve-se e voltou, ao que parece, sem plano. Sentou-se outra vez cinco ou dez minutos. De repente, lembrou-se que Inácio comera pouco ao almoço e tinha o ar abatido, e advertiu que podia estar doente; podia ser até que estivesse muito mal.

Saiu da sala, atravessou rasgadamente o corredor e foi até o quarto do mocinho, cuja porta achou escancarada. Dona Severina parou, espiou, deu com ele na rede, dormindo, com o braço para fora e o folheto caído no chão. A cabeça inclinava-se um pouco do lado da porta, deixando ver os olhos fechados, os cabelos revoltos e um grande ar de riso e de beatitude.

Dona Severina sentiu bater-lhe o coração com veemência e recuou. Sonhara de noite com ele; pode ser que ele estivesse sonhando com ela. Desde madrugada que a figura do mocinho andava-lhe diante dos olhos como uma tentação diabólica. Recuou ainda, depois voltou, olhou dois, três, cinco minutos, ou mais. Parece que o sono dava à adolescência de Inácio uma expressão mais acentuada, quase feminina, quase pueril. "Uma criança!" disse ela a si mesma, naquela língua sem palavras que todos trazemos conosco. E esta ideia abateu-lhe o alvoroço do sangue e dissipou-lhe em parte a turvação dos sentidos.

"Uma criança!"

E mirou-o lentamente, fartou-se de vê-lo, com a cabeça inclinada, o braço caído; mas, ao mesmo tempo que o achava criança, achava-o bonito, muito mais bonito que acordado, e uma dessas ideias corrigia ou corrompia a outra. De repente estremeceu e recuou assustada: ouvira um ruído ao pé, na saleta do engomado; foi ver, era um gato que deitara uma tigela ao chão. Voltando devagarinho a espiá-lo, viu que dormia profundamente. Tinha o sono duro a criança! O rumor que a abalara tanto, não o fez sequer mudar de posição. E ela continuou a vê-lo dormir; dormir e talvez sonhar.

Que não possamos ver os sonhos uns dos outros! Dona Severina ter-se-ia visto a si mesma na imaginação do rapaz; ter-se-ia visto diante da rede, risonha e parada; depois inclinar-se, pegar-lhe nas mãos, levá-las ao peito, cruzando ali os braços, os famosos braços. Inácio, namorado deles, ainda assim ouvia as palavras dela, que eram lindas cálidas, principalmente novas –, ou, pelo menos, pertenciam a algum idioma que ele não conhecia, posto que o entendesse. Duas três e quatro vezes a figura esvaía-se, para tornar logo, vindo do mar ou de outra parte, entre gaivotas, ou atravessando o corredor com toda a graça robusta de que era capaz. E tornando, inclinava-se, pegava-lhe outra vez das mãos e cruzava ao peito os braços, até que inclinando-se, ainda mais, muito mais, abrochou os lábios e deixou-lhe um beijo na boca.

Aqui o sonho coincidiu com a realidade, e as mesmas bocas uniram-se na imaginação e fora dela. A diferença é que a visão não recuou, e a pessoa real tão depressa cumprira o gesto, como fugiu até à porta, vexada e medrosa. Dali passou à sala da frente, aturdida do que fizera, sem olhar fixamente para nada. Afiava o ouvido, ia até o fim do corredor, a ver se escutava algum rumor que lhe dissesse que ele acordara, e só depois de muito tempo é que o medo foi passando. Na verdade, a criança tinha o sono duro; nada lhe abria os olhos, nem os fracassos contíguos, nem os beijos de verdade. Mas, se o medo foi passando, o vexame ficou e cresceu. Dona Severina não acabava de crer que fizesse aquilo; parece que embrulhara os seus desejos na ideia de que era uma criança namorada que ali estava sem consciência nem imputação; e, meia mãe, meia amiga, inclinara-se e beijara-o. Fosse como fosse, estava confusa, irritada, aborrecida mal consigo e mal com ele. O medo de que ele podia estar fingindo que dormia apontou-lhe na alma e deu-lhe um calafrio.

Mas a verdade é que dormiu ainda muito, e só acordou para jantar.

Sentou-se à mesa lépido. Conquanto achasse dona Severina calada e severa e o solicitador tão ríspido como nos outros dias, nem a rispidez de um, nem a severidade da outra podiam dissipar-lhe a visão graciosa que ainda trazia consigo, ou amortecer-lhe a sensação do beijo. Não reparou que dona Severina tinha um xale que lhe cobria os braços; reparou depois, na segunda-feira, e na terça-feira, também, e até sábado, que foi o dia em que Borges mandou dizer ao pai que não podia ficar com ele; e não o fez zangado, porque o tratou relativamente bem e ainda lhe disse à saída:

— Quando precisar de mim para alguma coisa, procure-me.

— Sim, senhor. A senhora dona Severina...

— Está lá para o quarto, com muita dor de cabeça. Venha amanhã ou depois despedir-se dela.

Inácio saiu sem entender nada. Não entendia a despedida, nem a completa mudança de dona Severina, em relação a ele, nem o xale, nem nada. Estava tão bem! Falava-lhe com tanta amizade! Como é que, de repente... Tanto pensou que acabou supondo de sua parte algum olhar indiscreto, alguma distração que a ofendera, não era outra coisa; e daqui a cara fechada e o xale que cobria os braços tão bonitos... Não importa; levava consigo o sabor do sonho. E através dos anos, por meio de outros amores, mais efetivos e longos, nenhuma sensação achou nunca igual à daquele domingo, na Rua da Lapa, quando ele tinha quinze anos. Ele mesmo exclama às vezes, sem saber que se engana: E foi um sonho! Um simples sonho!

COMPLEMENTO DE LEITURA

SOBRE O AUTOR

Joaquim Maria Machado de Assis nasceu em 21 de junho de 1839 no Rio de Janeiro. Filho do pintor de paredes e dourador José de Assis e da portuguesa dos Açores Maria Leopoldina Machado de Assis, que trabalhava como lavadeira, foi criado no Morro do Livramento, região marginalizada da cidade. Sem recursos para os cursos regulares, teve os primeiros estudos em escola pública, tendo estudado francês e latim com o padre Silveira Sarmento. Gago, epilético e muito tímido, foi um autodidata e um leitor incessante a vida toda. Seu primeiro trabalho publicado, o soneto "À Ilma. Sra. D.P.J.A.", no *Periódico dos Pobres,* data de 3 de outubro de 1854, quando tinha apenas 15 anos incompletos.

No ano de 1856, começa seu primeiro emprego na *Imprensa Nacional* como aprendiz de tipógrafo, onde conhece Manuel Antônio de Almeida, autor de *Memórias de um Sargento de Milícias*, que seria seu amigo e protetor. Devido à sua grande inteligência e paixão pela leitura, passa a colaborar com o *Correio Mercantil* como revisor, convivendo com alguns intelectuais da época: Casimiro de Abreu, Quintino Bocaiúva e Joaquim Manuel de Macedo. Em 1860 é convidado para integrar a equipe do *Diário do Rio de Janeiro,* no qual faz resenhas de debates do Senado Federal. Ao mesmo tempo, escreve crítica teatral e contos nos periódicos *O Espelho, A Semana Ilustrada* e o *Jornal das Famílias.*

Seu primeiro livro de poemas, *Crisálidas,* é publicado em 1864. Três anos depois, ingressa no *Diário Oficial* como ajudante de diretor de publicação. Em 1869, casa-se com Carolina Augusta Xavier de Novais, irmã do poeta Faustino Xavier de Novais, e seu grande amor, com quem ficaria casado por trinta e cinco anos. O primeiro livro de contos, intitulado *Contos Fluminenses*, é publicado em 1870. Em 1972, lança seu primeiro romance, *Ressurreição,* e a partir do ano seguinte, é nomeado primeiro oficial da Secretaria de Estado do Ministério da Agricultura, Comércio e Obras Públicas, consolidando sua carreira burocrática, o que possibilita sua sobrevivência e permite que o escritor se dedique com mais afinco à literatura.

São dessa época as publicações *Falenas (1870 – poemas)*, *Histórias da meia--noite (1873 – contos)*, e os romances *A Mão e a Luva (1874)*, Helena (1876) e *Iaiá Garcia (1878)*. Este último encerra sua fase romântica. A partir daí começa sua fase mais celebrada: a do romance psicológico, que iniciaria no Brasil a escola literária conhecida como Realismo, com a publicação de *Memórias Póstumas de Brás Cubas*, incialmente em folhetins na *Revista Brasileira* ao longo do ano de 1880 e editado em 1881. Com a maturidade intelectual, Machado escreve os romances *Quincas Borba* (1891) *Dom Casmurro* (1899); *Esaú e Jacó* (1904) e, *Memorial de Aires (1908)*, além dos livros de contos *Papéis Avulsos (1882)*, *Histórias Sem Data*, *(1884)*, *Várias Histórias (1896)*, *Páginas Recolhidas(1899)* e *Relíquias da Casa Velha (1906)*.

Ao lado de seu grande amigo Joaquim Nabuco, funda a Academia Brasileira de Letras em 20 de julho de 1897, tendo José de Alencar como seu patrono. Com o intuito de preservar a língua e a literatura brasileiras, Machado de Assis presidiu a academia por mais de dez anos, que passou a ser chamada informalmente como "Casa de Machado de Assis".

Em 1908, com a saúde debilitada e tomado pela depressão, Machado de Assis morre no Rio de Janeiro no dia 29 de setembro, aos 69 anos de idade. Deixou uma obra vasta: 10 romances, 216 contos, 10 peças teatrais, 5 coletâneas de poemas e sonetos, e mais de 600 crônicas, sendo considerado o maior escritor brasileiro.

Está enterrado no cemitério São João Batista, ao lado de sua amada esposa Carolina.

TEXTO E CONTEXTO

Conhecido, sobretudo, por seus romances realistas, Machado de Assis é também um contista genial. Em seus textos curtos, nota-se as mesmas características presentes em suas obras mais celebradas: o estilo com frases curtas e gramática impecável, a investigação do caráter humano com pessimismo e ironia, a vasta análise psicológica das personagens somada à reflexão filosófica contrastando com as poucas cenas de ação.

A sociedade carioca do final do século XIX serve de retrato para o autor. Entretanto, ao invés de se fixar no local, à moda dos escritores românticos, Machado de Assis alcança temas universais, como a aparência *versus* a essência, a instabilidade da moral dos indivíduos, a loucura e a lucidez, o ciúme, a ganância, a crueldade e os jogos de interesses. Assim, não é exagero afirmar que seus contos poderiam ser ambientados em qualquer cidade do mundo e em qualquer época da humanidade.

É célebre a associação que o escritor argentino Julio Cortázar faz da literatura com o boxe: enquanto o romance procura "vencer" o leitor em uma luta por pontos, o conto faz-o por nocaute. Com genialidade e talento ímpares, o "Bruxo do Cosme Velho" oferece ao leitor histórias preciosas em narrativas curtas.

TOME NOTA

As personagens machadianas são retratos nada elogiosos de algumas faces do ser humano: Damião (*"O caso da vara"*) e Cândido Neves ("Pai contra mãe") corroboram a ideia de que o homem coloca seus interesses acima da moral da sociedade. Já, Fortunato, personagem do conto *"A causa secreta"*, é um exemplo da crueldade e do sadismo presentes nos indivíduos. O adultério e a mentira são o cerne do enredo de *"A carteira"*, enquanto a história de *"O enfermeiro"* discorre sobre como as pessoas constroem justificativas para amenizar o peso na consciência. Desse modo, além de denunciar a corrupção presente em todos nós, o maior escritor brasileiro desperta no leitor atento a reflexão sobre a própria existência.

QUESTÕES COMENTADAS

1. (UFRG 2019) Sobre o conto "O espelho", de Machado de Assis, assinale com V (verdadeiro) ou F (falso) as seguintes afirmações.

( ) Jacobina, o casmurro cavalheiro, expõe aos eloquentes investigadores de coisas metafísicas sua teoria sobre as duas almas humanas.
( ) O alferes, sozinho em casa, precisa despir-se da farda para ver-se nitidamente no espelho.
( ) A nomeação do alferes para a guarda nacional já era esperada por todos, uma vez que vinha de família nobre.
( ) A leitura do conto permite refletir sobre vaidade, reconhecimento público e desigualdade social.

A sequência correta de preenchimento dos parênteses, de cima para baixo, é:

Ⓐ V - F - F - V.
Ⓑ F - V - V - F.
Ⓒ F - V - F - V.
Ⓓ F - F - V - F.
Ⓔ V - V - F - V.

Comentário: O famoso conto de Machado de Assis inicia-se com a descrição de uma reunião entre cinco cavalheiros que discutiam "várias questões de alta transcendência". Em dado momento, o assunto da discussão torna-se a alma humana. Após ser inquirido a dar sua opinião, Jacobina conta-lhes sobre sua teoria, cujo cerne seria o fato de o homem possuir duas almas. Para ilustrá-la, conta a história de quando foi nomeado Alferes e conquistou subitamente o respeito de sua família e ganhando novo *status*, pois não vinha de família nobre. Assim, a primeira afirmação está correta e a terceira, incorreta. Após algum tempo na casa de uma tia que precisa viajar, os escravos fogem e ele encontra-se só. Ao olhar-se no espelho sem a farda, não consegue ver a imagem nítida, que aparece apenas quando o protagonista veste o traje milita. Desse modo, pode-se concluir que a segunda afirmativa está incorreta. Ao final do conto, percebe-se que o autor critica os indivíduos meramente preocupados com sua posição social e como são vistos pela sociedade. Conclui-se, assim, que a última afirmativa está correta. Logo, a letra que corresponde à sequência correta é a alternativa **A**.

2. (CEDERJ 2008) Podemos dizer que o narrador do conto "O espelho", de Machado de Assis, reafirma a natureza contraditória do ser humano, já que:

A Não se olhava no espelho, mas se achava pessoa de boa figura.
B Apesar de temer se olhar no espelho, olhava-se por teimosia.
C Mesmo temendo as consequências, queria ver-se duplo.
D De quando em quando, olhava-se no espelho com mau humor.
E Para desafiar as leis da física, olhava-se no espelho.

Comentário: O protagonista do conto machadiano, após se acostumar com o novo status de Alferes, é abandonado pelos escravos que fogem da casa de sua tia. Sozinho no aposento, fica confuso e quando se olha no espelho sem a farda, não consegue ver as imagens claramente. Isso só acontece quando coloca a roupa militar. Ao final da história, o Alferes diz *"Convém dizer-lhes que, desde que ficara só, não olhara uma só vez para o espelho. Não era abstenção deliberada, não tinha motivo; era um impulso inconsciente, um receio de achar-me um e dois, ao mesmo tempo, naquela casa solitária; e se tal explicação é verdadeira, nada prova melhor a contradição humana, porque no fim de oito dias deu-me na veneta de olhar para o espelho com o fim justamente de achar-me dois"*. O trecho atesta que a única alternativa correta é a **C**, pois Jacobina não se olhava no espelho para desafiar as leis da física, tampouco por teimosia ou mau humor (alternativas B, D e E), mas para achar-se dois.

3. (UNICAMP 2018) A fim de dar exemplos de sua teoria da "alma exterior", o narrador-personagem do conto "O espelho", de Machado de Assis, refere-se a uma senhora conhecida sua "que muda de alma exterior cinco, seis vezes por ano". E, questionado sobre a identidade dessa mulher, afirma: "Essa senhora é parenta do diabo, e tem o mesmo nome: chama-se Legião..." Considerando o contexto dessa frase no conto, pode-se dizer que ela constitui:

A Uma crítica à noção de alma exterior como resultante da influência do mal.
B Uma consideração cômica que ressalta o nome inusitado da senhora.
C Uma condenação do comportamento moral da senhora em questão.
D Uma ironia com a inconstância dos valores sociais associados à alma exterior.

Comentário: O conto "O espelho" apresenta o questionamento sobre a mudança de valores sociais que os indivíduos promovem para manter sua imagem pública. Esta ação seria a mudança de alma exterior que o narrador critica ironicamente. Sendo assim, a alternativa que se mostra correta é a letra **D**. A alternativa A é incorreta, pois não há menção à influência do mal na teoria das duas almas. Tampouco estão corretas as alternativas B e C, afinal o nome "Legião" faz alusão ao comportamento de uma senhora, e não é seu nome real. Ademais, Jacobina não faz uma condenação do comportamento moral da senhora, mas sim procura explicar a oscilação deste, sem detalhar especificamente o que seria condenável.

4. (FAG 2018) A respeito do conto "Pai contra mãe", de Machado de Assis, assinale a alternativa CORRETA:

A A felicidade, para o narrador, foi ter acesso àquele livro, mas, para ele, o prazer maior estava no fato de ter em mãos um livro "proibido", "impossível", "inacessível"; como se aquela felicidade estivesse no prazer de usufruir algo proibido, no prazer de cometer uma transgressão.

B O conto tem início com uma explanação do autor a respeito de algumas atividades e produtos relacionados ao período da escravidão no Brasil, particularmente a repressão aos negros fujões: a máscara de ferro, que impedia a alimentação, era utilizada para afastar o vício da cachaça, que geralmente conduzia ao roubo; a coleira de ferro, castigo aplicado a escravos recapturados; para a produção de tais artefatos, recorria-se a funileiros e ferreiros, atividade então próspera.

C O conto mostra um retrato do Brasil e do brasileiro. A vocação para o improviso, a malandragem, a lei do levar vantagens e mais do que isso, a cultura de valorizar o status, as aparências.

D O golpe do narrador vira uma piada que ridiculariza ainda mais todos os que acreditaram nele, tornando-os caricaturas grotescas de ingenuidade, da estupidez.

E O conto traz a história de um menino que não sabia se era ou não inteligente: às vezes dizia algo que despertava nos adultos um olhar de satisfação e quando resolvia repetir o que tinha dito, muitas vezes, esses adultos não davam a atenção como ele esperava que devessem dar.

Comentário: "Pai contra mãe" é um conto em que Machado de Assis aborda explicitamente a questão da escravidão no Brasil. Ambientado no Rio de Janeiro, ao final do Segundo Império, narra a história de Cândido Neves que, após tentar vários empregos, fixa-se como caçador de escravos. A história inicia-se com o narrador descrevendo alguns artefatos utilizados no trato com os escravos, como a máscara e a coleira de ferro. Logo, a alternativa correta é a **B**. A alternativa A está incorreta, pois a única menção à palavra "livro" no conto é uma metáfora da nova vida que Cândido teria com Clara. O conto não aborda a questão do *status* e das aparências, apesar de este ser um tema caro ao escritor realista, estando incorreta C. A alternativa D também é incorreta, pois não há "golpe" do narrador que "vira uma piada" no conto. Tampouco está correta a alternativa E, ao apresentar um enredo que não corresponde à história de "Pai contra mãe".

(UNESP 2018) QUESTÕES 5 E 6
Leia o trecho do conto "Pai contra mãe", de Machado de Assis (1839-1908), para responder às questões.

A escravidão levou consigo ofícios e aparelhos, como terá sucedido a outras instituições sociais. Não cito alguns aparelhos senão por se ligarem a certo ofício. Um deles era o ferro ao pescoço, outro o ferro ao pé; havia também a máscara de folha de flandres. A máscara fazia perder o vício da embriaguez aos escravos, por lhes tapar a boca. Tinha só três buracos, dois para ver, um para respirar, e era fechada atrás da cabeça por um cadeado. Com o vício de beber, perdiam a tentação de furtar, porque geralmente era dos vinténs do senhor que eles tiravam com que matar a sede, e aí ficavam dois pecados extintos, e a sobriedade e a honestidade certas. Era grotesca tal máscara, mas a ordem social e humana nem sempre se alcança sem o grotesco, e alguma vez o cruel. Os funileiros as tinham penduradas, à venda, na porta das lojas. Mas não cuidemos de máscaras. O ferro ao pescoço era aplicado aos escravos fujões. Imaginai uma coleira grossa, com a haste grossa também, à direita ou à esquerda, até ao alto da cabeça e fechada atrás com chave. Pesava, naturalmente, mas era menos castigo que sinal. Escravo que fugia assim, onde quer que andasse, mostrava um reincidente, e com pouco era pegado. Há meio século, os escravos fugiam com frequência. Eram muitos, e nem todos gostavam da escravidão. Sucedia ocasionalmente apanharem pancada, e nem todos gostavam de apanhar pancada. Grande parte era apenas repreendida; havia alguém de casa que servia de padrinho, e o mesmo dono não era mau; além disso, o sentimento da propriedade moderava a ação, porque dinheiro também dói. A fuga repetia-se, entretanto. Casos houve, ainda que raros, em que o escravo de contrabando, apenas comprado no Valongo, deitava a correr, sem conhecer as ruas da cidade. Dos que seguiam para casa, não raro, apenas ladinos, pediam ao senhor que lhes marcasse aluguel, e iam ganhá-lo fora, quitandando. Quem perdia um escravo por fuga dava algum dinheiro a quem lho levasse. Punha anúncios nas folhas públicas, com os sinais do fugido, o nome, a roupa, o defeito físico, se o tinha, o bairro por onde andava e a quantia de gratificação. Quando não vinha a quantia, vinha promessa: "gratificar-se-á generosamente" – ou "receberá uma boa gratificação". Muita vez o anúncio trazia em cima ou ao lado uma vinheta, figura de preto, descalço, correndo, vara ao ombro, e na ponta uma trouxa. Protestava-se com todo o rigor da lei contra quem o acoitasse. Ora, pegar escravos fugidios era um ofício do tempo. Não seria nobre, mas por ser instrumento da força com que se mantêm a lei e a propriedade, trazia esta outra nobreza implícita das ações reivindicadoras. Ninguém se metia em tal ofício por desfastio ou estudo; a pobreza, a necessidade de uma achega, a inaptidão para outros trabalhos, o acaso, e alguma vez o gosto de servir também, ainda que por outra via, davam o impulso ao homem que se sentia bastante rijo para pôr ordem à desordem. (Contos: uma antologia, 1998.)

5. A perspectiva do narrador diante das situações e dos fatos relacionados à escravidão é marcada, sobretudo,

A Pelo saudosismo.
B Pela indiferença.
C Pela indignação.
D Pelo entusiasmo.
E Pela ironia.

Comentário: Ao retratar com suposta naturalidade os aparelhos utilizados para subjugar os escravos (como a máscara de folha de flandres ou o ferro no pescoço), o narrador apresenta um dos traços marcantes na obra machadiana: a ironia. Esta figura de linguagem estrutura-se na afirmação de algo para dizer seu oposto. No conto, a violência que parece aceitável, é, na verdade considerada abominável pelo narrador. Logo, a alternativa correta é a **E**. As outras alternativas estão incorretas pois é impossível afirmar que exista qualquer traço de saudosismo, indiferença, indignação ou entusiasmo diante dos fatos relacionados à escravidão.

6. Em "o sentimento da propriedade moderava a ação, porque dinheiro também dói." (3º parágrafo), a "ação" a que se refere o narrador diz respeito:

A À fuga dos escravos.
B Ao contrabando de escravos.
C Aos castigos físicos aplicados aos escravos.
D Às repreensões verbais feitas aos escravos.
E À emancipação dos escravos.

Comentário: Conforme afirma o narrador, à época da escravidão havia inúmeras fugas de escravos. Quando capturados, frequentemente apanhavam ou eram repreendidos (se possuíam algum padrinho dentro da casa que os protegesse ou se o senhor de escravos tivesse benevolência por eles). Entretanto, a falta ou a atenuação de castigos físicos não ocorria por caridade, mas sim por uma noção de que os escravos eram propriedade de seu senhor, e este não queria correr o risco de ter algum servo invalidado devido ao uso de violência extrema, o que significaria perder o dinheiro investido nele. Desse modo, a alternativa correta é a **C**. Sendo assim, as opções A, D e E estão incorretas, pois é paradoxal que o "sentimento de propriedade" possa facilitar a fuga ou a emancipação dos negros escravizados. Tampouco o mesmo sentimento seria motivo para moderar o contrabando deles, estando incorreta a letra B. Por fim, não há menção a repreensões verbais feitas aos escravos.

7. (UFVJM 2009-2011) Este trecho foi retirado do conto "A Igreja do Diabo", de Machado de Assis.

Clamava ele que as virtudes aceitas deviam ser substituídas por outras, que eram as naturais e legítimas. A soberba, a luxúria, a preguiça foram reabilitadas, e assim também a avareza, que declarou não ser mais do que a mãe da economia, com a diferença que a mãe era robusta, e a filha uma esgalgada. A ira tinha a melhor defesa na existência de Homero; sem o furor de Aquiles, não haveria a Ilíada: "Musa, canta a cólera de Aquiles, filho de Peleu..." O mesmo disse da gula, que produziu as melhores páginas de Rabelais, e muitos bons versos de Hissope; virtude tão superior, que ninguém se lembra das batalhas de Luculo, mas das suas ceias; foi a gula que realmente o fez imortal. (...)
Quanto à inveja, pregou friamente que era a virtude principal, origem de propriedades infinitas; virtude preciosa, que chegava a suprir todas as outras, e ao próprio talento.

É correto afirmar que esse trecho:

A Faz referência ao personagem Pestana, compositor de prestígio, que reflete sobre a existência humana e acaba em desequilíbrio por abandonar seus ideais.
B Refere-se ao personagem Diabo, que fornece a Deus razões de ordem literária e histórica para justificar o valor intrínseco de certas virtudes.
C Faz referência ao personagem do Pai, que fornece a Janjão, seu filho, explicações de ordem literária e histórica que justifiquem sua teoria.
D Refere-se ao personagem Deus, que tece reflexões sobre a condição humana e sobre os pecados capitais

Comentário: O conto "A igreja do Diabo" narra a história de quando o Diabo decidiu fundar sua própria religião, pois está cansado de ser preterido dentre os fiéis e encarado como inferior perante as outras divindades. Ademais, também observa como os seres humanos, ditos religiosos, praticam ações vis de acordo com seus interesses, esquecendo-se dos preceitos espirituais. Assim, o Diabo vai falar com Deus para explicar seus planos: uma igreja em que os pecados seriam virtudes, em que a bondade não seria enaltecida, mas rechaçada. Por meio de exemplos da literatura e das artes, o Diabo ilustra sua nova empreitada com ironia e primor nas palavras, mostrando como os pecados capitais foram fundamentais na história da humanidade. O trecho destacado refere-se a esta cena. Assim, a alternativa correta é a **B**. Note-se que a alternativa A está incorreta, pois Pestana é o personagem do conto "Um homem célebre". A alternativa C apresenta Janjão, personagem do conto " A teoria do medalhão". Por fim, a alternativa D também está errada, afinal Deus não poderia defender a prática dos pecados capitais.

8. (UNIFESP 2017) Leia o trecho do conto "A Igreja do Diabo"
"Uma vez na terra, o Diabo não perdeu um minuto. Deu-se pressa em enfiar a cogula[1] beneditina, como hábito de boa fama, e entrou a espalhar uma doutrina nova e extraordinária, om uma voz que reboava nas entranhas do século. Ele prometia aos seus discípulos e fiéis as delícias da terra, todas as glórias, os deleites mais íntimos. Confessava que era o Diabo; mas confessava-o para retificar a noção que os homens tinham dele e desmentir as histórias que a seu respeito contavam as velhas beatas".
"Ele prometia aos seus discípulos e fiéis as delícias da terra, todas as glórias, os deleites mais íntimos." (1º parágrafo)

Tal promessa do Diabo constitui, sobretudo, uma inversão da seguinte máxima cristã:

A "Amai-vos uns aos outros."
B "Aquele que não tiver pecado, atire a primeira pedra."
C "Não façais da casa do meu Pai casa de comércio."
D "Meu reino não é deste mundo."
E "Se alguém te bater na face direita, oferece-lhe também a outra face."

Comentário: Ao prometer uma nova moral religiosa a seus seguidores, o Diabo propõe uma inversão dos valores cristãos: o que seria considerado pecado, agora seria considerado virtude. Logo, pode-se inferir que se o reino de Deus não é deste mundo, o do Diabo é. Se o reino divino, antigo, não é do plano terreno, o novo é. Assim, a alternativa correta é a **D**. Nota-se que Lúcifer não trata do amor ao próximo, nem julga quem tiver cometido pecado, sendo as alternativas A e B incorretas. Também não censura quem faria da casa de Deus um lugar de desordem e lucro (alternativa C. Por fim, o Diabo não faz considerações sobre "dar a outra face", que seria uma alusão à resistência humana perante o mal (alternativa E).

9. (UFSM 2007) O texto a seguir pertence a uma reportagem que aborda os motivos que levam certas pessoas a cometerem atos cruéis.

A maldade e a arte
Como entender o fascínio da história de Anakyn/Darth Vader? Para o diretor teatral e psicólogo social carioca Bernardo Jablonski, a chave está em nossos conflitos pessoais. "Histórias assim são projeções de desejos muito profundos. Na visão contemporânea da psicologia social, somos tanto bons como maus. Sou capaz de ajudar uma velhinha a atravessar a rua, mas se alguém molestar meu filho, eu mato. Sem querer diminuir as religiões, Deus e o diabo somos nós." A dualidade dos jedis é também a nossa. ("Galileu", maio 2005.)
As personagens de Machado de Assis parecem se ajustar a essa visão do ser humano, pois, sem serem essencialmente más, podem, em determinadas circunstâncias, praticar atos violentos contra terceiros, violando-lhes a integridade física. Encaixam-se nesse perfil os protagonistas dos contos:

A "Uns braços" e "A cartomante".
B "O enfermeiro" e "Pai contra mãe".
C "Missa do galo" e "O enfermeiro".
D "Pai contra mãe" e "Uns braços".
E "O alienista" e "Missa do galo".

Comentário: A única alternativa em que os protagonistas comentem atos violentos em face das circunstâncias é a **B**. No conto "O enfermeiro", a personagem principal, num ímpeto de fúria depois de ter sido atingido por uma vasilha de água, esgana o Coronel Felisberto, paciente que o maltratava de modo cruel. Já no conto "Pai contra mãe", Cândido Neves captura uma escrava grávida que tinha fugido, pois precisava de dinheiro para poder sustentar seu filho e sua esposa. A escrava, atormentada por saber que voltará ao cativeiro, sofre um aborto. Em ambos os casos há exemplos de personagens que são tanto bons quanto maus, de acordo com as situações apresentadas. Os contos presentes nas demais alternativas apresentam enredos que não correspondem ao exemplo dado no texto do exercício: "Uns braços" trabalha a ideia da moral burguesa e do adultério, assim como "A cartomante". Já o conto "Missa do galo" aprofunda o diálogo interior e a sugestão acima da objetividade. Por sua vez, "O alienista" questiona a ideia de "normal" e de "sanidade" em uma sociedade doente.

10. (PUC-RIO 2018)

Texto 2

Naquela noite de Natal foi o escrivão ao teatro. Era pelos anos de 1861 ou 1862. Eu já devia estar em Mangaratiba, em férias; mas fiquei até o Natal para ver "a missa do galo na Corte". A família recolheu-se à hora do costume; eu meti-me na sala da frente, vestido e pronto. Dali passaria ao corredor da entrada e sairia sem acordar ninguém. Tinha três chaves a porta; uma estava com o escrivão, eu levaria outra, a terceira ficava em casa.
– Mas, Sr. Nogueira, que fará você todo esse tempo? – perguntou-me a mãe de Conceição.
– Leio, D. Inácia.
Tinha comigo um romance, os Três Mosqueteiros, velha tradução creio do Jornal do Comércio. Sentei-me à mesa que havia no centro da sala, e à luz de um candeeiro de querosene, enquanto a casa dormia, trepei ainda uma vez ao cavalo magro de D'Artagnan e fui-me às aventuras. Dentro em pouco estava completamente ébrio de Dumas. Os minutos voavam, ao contrário do que costumam fazer, quando são de espera; ouvi bater onze horas, mas quase sem dar por elas, um acaso. Entretanto, um pequeno rumor que ouvi dentro veio acordar-me da leitura.
Eram uns passos no corredor que ia da sala de visitas à de jantar; levantei a cabeça; logo depois vi assomar à porta da sala o vulto de Conceição.
– Ainda não foi? – perguntou ela.
– Não fui, parece que ainda não é meia-noite.
– Que paciência!
Conceição entrou na sala, arrastando as chinelinhas da alcova. Vestia um roupão branco, mal apanhado na cintura. Sendo magra, tinha um ar de visão romântica, não disparatada com meu livro de aventuras. Fechei o livro, ela foi sentar-se na cadeira que ficava defronte de mim, perto do canapé. Como eu lhe perguntasse se a havia acordado, sem querer, fazendo barulho, respondeu com presteza:
– Não! Qual! Acordei por acordar.
Fitei-a um pouco e duvidei da afirmativa. Os olhos não eram de pessoa que acabasse de dormir; pareciam não ter ainda pegado no sono. Essa observação, porém, que valeria alguma coisa em outro espírito, depressa a botei fora, sem advertir que talvez não dormisse justamente por minha causa, e mentisse para me não afligir ou aborrecer. Já disse que ela era boa, muito boa.
– Mas a hora já há de estar próxima – disse eu.
– Que paciência a sua de esperar acordado, enquanto o vizinho dorme! E esperar sozinho! Não tem medo de almas do outro mundo? Eu cuidei que se assustasse quando me viu.
– Quando ouvi os passos estranhei: mas a senhora apareceu logo.
– Que é que estava lendo? Não diga, já sei, é o romance dos Mosqueteiros.
– Justamente: é muito bonito.
– Gosta de romances?

– Gosto.
– Já leu a Moreninha?
– Do Dr. Macedo? Tenho lá em Mangaratiba.
– Eu gosto muito de romances, mas leio pouco, por falta de tempo. Que romances é que você tem lido?
Comecei a dizer-lhe os nomes de alguns. Conceição ouvia-me com a cabeça reclinada no espaldar, enfiando os olhos por entre as pálpebras meio-cerradas, sem os tirar de mim. De vez em quando passava a língua pelos beiços, para umedecê-los. Quando acabei de falar, não me disse nada; ficamos assim alguns segundos. Em seguida, vi-a endireitar a cabeça, cruzar os dedos e sobre eles pousar o queixo, tendo os cotovelos nos braços da cadeira, tudo sem desviar de mim os grandes olhos espertos.

ASSIS, Machado de. Missa do galo. In: http://www.dominiopublico.gov.br/download/texto/bv000223.pdf

Em relação ao Texto 2, discorra sobre a função e a importância da leitura para o jovem Nogueira a partir de referências a dois romances: Os três mosqueteiros, escrito pelo francês Alexandre Dumas; e A moreninha, do brasileiro Joaquim Manuel de Macedo.

Comentário: No trecho do conto, o personagem Nogueira apresenta-se como um leitor assíduo. Ao falar sobre *Os três mosqueteiros*, o protagonista afirma estar "completamente ébrio de Dumas", o que indica um deslumbre com a possibilidade que a literatura oferece ao leitor de viver outras vidas, de experimentar sentimentos distintos aos seus, seja na França de Luís XIII, seja na corte carioca do século XIX.

11. (UFSM 2011) Da perspectiva realista-naturalista, a sociedade humana funciona segundo certas leis dos ecossistemas, como a competição entre espécies, os processos de seleção natural, entre outros. Considere as afirmativas a respeito dos contos "O caso da vara" e "Pai contra mãe", de Machado de Assis, que encontrou na alma humana a explicação de muitos mecanismos sociais.

I. A estranha complacência da consciência humana em face do mal reflete-se nas atitudes de Cândido Neves, embora suas palavras finais "Nem todas as crianças vingam, bateu-lhe o coração" apontem para o seu arrependimento.
II. Ao ceder à autoridade de sinhá Rita, Damião mostra a fragilidade dos bons propósitos diante dos interesses pessoais.
III. Ambos os contos estão contextualizados no Rio de Janeiro do início do Segundo Império e revelam o engajamento do autor na causa abolicionista.

A Apenas I.
B Apenas II.

- C) Apenas I e II.
- D) Apenas I e III.
- E) Apenas II e III.

Comentário: Machado de Assis é conhecido, dentre outras características, por ser um analista e critico mordaz da alma humana. São célebres a ironia e o pessimismo com que julga as atitudes dos homens em suas obras. Nos contos citados no enunciado, "Pai contra mãe" e "O caso da vara", o escritor carioca parece defender a tese de que os interesses pessoais estão acima dos valores e dos princípios que norteiam a vida dos cidadãos: Cândido Neves captura, por dinheiro, uma escrava fugida que estava grávida. Dinheiro este que evitaria a entrega do filho do protagonista à Roda dos Enjeitados, local que recebia filhos indesejados. As súplicas e o desespero de Arminda, a escrava, não demovem Cândido Neves de seu intento. Já no enredo de "O Caso da Vara", Damião, o protagonista, foge do seminário e pede ajuda à Sinhá Rita, amante de seu padrinho, para convencer seu pai a não o devolver à instituição religiosa. Na casa de Sinhá Rita, Damião apadrinha Lucrécia, uma escrava de 11 anos. Ao final do conto, a dona da casa decide castigar a serva por não ter concluído um bordado e pede que Damião pegue a vara para consumar a punição. Mesmo com pena de Lucrécia, e discordando da ação da concubina de seu padrinho, Damião assente em fazê-lo, afinal depende dela para não voltar ao seminário. Logo, a alternativa correta é a **B**. Nota-se que a primeira afirmativa é incorreta, pois Cândido Neves não demonstra arrependimento por ter capturado Arminda. A última afirmativa também é incorreta, pois Machado de Assis, embora crítico do sistema escravista, não foi um abolicionista notório, como José do Patrocínio ou Joaquim Nabuco.

CRONOLOGIA

1839 Nasce Joaquim Maria Machado de Assis, em 21 de junho, no Rio de Janeiro.
1855 Sua primeira publicação é o poema "Ela", na "Marmota Fluminense".
1856 Torna-se aprendiz de tipógrafo na Tipografia Nacional, no Rio.
1858 Trabalha como revisor de provas da livraria Paula Brito.
1864 Compila "Crisálidas".
1866 Publica "Os Deuses de Casaca" e traduz "Os Trabalhadores do Mar", do francês Victor Hugo.
1869 Casa-se, em 12 de novembro, com a portuguesa Carolina Augusta Xavier de Novais.
1870 Publica "Falenas" e "Contos Fluminenses".
1872 Lança "Ressurreição".
1873 Edita "Histórias da Meia-Noite". É nomeado primeiro-oficial da Secretaria de Agricultura, Comércio e Obras Públicas.
1874 Publica a narrativa "A Mão e a Luva".
1875 Compila os poemas de "Americanas".
1876 Lança "Helena".
1878 Publica o folhetim "Iaiá Garcia".
1880 Torna-se oficial de gabinete do ministro da Agricultura, Manuel Buarque de Macedo.
1881 Lança "Memórias Póstumas de Brás Cubas" e "Tu Só, Tu, Puro Amor".
1882 Publica "Papéis Avulsos".
1884 Compila "Histórias sem Data".
1888 Obtém a comenda de oficial da Ordem da Rosa.
1889 Torna-se diretor de Comércio na Secretaria da Agricultura.
1891 Publica o folhetim "Quincas Borba" em livro.
1892 Torna-se diretor-geral do Ministério da Viação.
1896 Publica a obra "Várias Histórias".
1897 Funda e preside a Academia Brasileira de Letras.
1899 Publica "Dom Casmurro" e "Páginas Recolhidas".
1901 Lança as "Poesias Completas".
1904 Publica "Esaú e Jacó".
1906 Lança "Relíquias de Casa Velha".
1908 Publica "Memorial de Aires". Morre em 29 de setembro.